Maya

Wörter

für die Grundschule · mit Englischteil

die Abbild
die Abb
abbilde
ab|brech
→ brech
der Abb
ab|brem|s
er brems

das ABC
der Abend, die
am Abend
Abends, h
Abend, ab
das Abend
das Aben|teu|er,
die Abenteu
abenteuerlic
aber
der Aber|glau|be,
abergläubisc

jandorf selbstständig
arbeiten & lernen **verlag**

Wörterbuch für die Grundschule
Mit Englischteil

© jandorfverlag 2009 • 50321 Brühl

6. Auflage, Druck 2016

Illustrationen:	Philipp Dietel,
	Achim Schulte („Wörterbuchhund")
Verlag:	jandorfverlag
	Peter Wachendorf
	Bonnstraße 138 • 50321 Brühl
	Tel. 02232 501040 • Fax 02232 5010444
Druck:	Warlich Druck Meckenheim GmbH
ISBN:	978-3-939965-13-8
Bestellnummer:	1080
Innenteil:	Recyclingpapier aus 100 % Altpapier,
	ausgezeichnet mit dem blauen Engel

Inhalt

Hinweise

- Die Wörter sind nach dem ABC geordnet.

C
D
E
F

- Die hervorgehobenen Buchstaben am Seitenrand helfen bei der Wörtersuche.

- Die Wortarten haben verschiedene Farben:
  Nomen (Namenwörter) sind blau.
  Verben (Tunwörter) sind rot.
  Adjektive (Wiewörter) sind grün.
  Die anderen Wortarten sind schwarz.

- Vor den Nomen (Namenwörtern) steht der Artikel (der, die, das). Einzahl und Mehrzahl stehen untereinander.

- Verben (Tunwörter) und Adjektive (Wiewörter) können verschiedene Formen haben. Schwierige Formen werden zusätzlich zur Grundform angegeben.

  sprechen   arm, ärmer
  er spricht

Wörterverzeichnis 1

(ab Klasse 2)

A

ab

der Abend

die Abende

abends

aber

acht

der Affe

die Affen

alle

allein

alles

als

also

alt, älter

am

die Ameise

die Ameisen

die Ampel

die Ampeln

an

andere

anders

der Anfang

die Anfänge

anfangen

die Angst

die Ängste

anrufen

die Antwort

die Antworten

antworten

anziehen

der Apfel

die Äpfel

der April

die Arbeit

die Arbeiten

arbeiten

arm, ärmer

der Arm

die Arme

der Arzt

die Ärzte

der Ast

die Äste

auch

auf

die Aufgabe

die Aufgaben

das Auge

die Augen

der August

aus

das Auto

die Autos

B

das Baby

die Babys

der Bach

die Bäche

backen

der Bäcker

die Bäcker

baden

der Bagger

die Bagger

der Ball

A
B
C
D
E
F
G
H
I
J
K
L
M
N
O
P
Q
R
S
T
U
V
W
X
Y
Z

die **Bälle**

die **Banane**

die **Bananen**

die **Bank**

die **Bänke**

der **Bär**

die **Bären**

basteln

sie **bastelt**

der **Bauch**

die **Bäuche**

bauen

der **Baum**

die **Bäume**

bei

beide

das **Bein**

die **Beine**

bekommen

bellen

der **Berg**

die **Berge**

besonders

besser

der **Besuch**

die **Besuche**

das **Bett**

die **Betten**

bewegen

bezahlen

die **Biene**

die **Bienen**

das **Bild**

die **Bilder**

ich **bin**

die **Birne**

die **Birnen**

bis

du **bist**

bitten

das **Blatt**

die **Blätter**

blau

bleiben

der **Blitz**

die **Blitze**

blühen

die **Blume**

die **Blumen**

die **Blüte**

die **Blüten**

bluten

der **Boden**

die **Böden**

das **Boot**

die **Boote**

böse

brauchen

braun

brennen

der **Brief**

die **Briefe**

die **Brille**

die **Brillen**

bringen

das **Brot**

die **Brote**

das **Brötchen**

die **Brötchen**

der **Bruder**

die **Brüder**

das **Buch**

A
B
C
D
E
F
G
H
I
J
K
L
M
N
O
P
Q
R
S
T
U
V
W
X
Y
Z

die **Bücher**

bunt

der **Bus**

die **Busse**

der **Busch**

die **Büsche**

die **Butter**

C

der **Cent**

die **Cent**

der **Christ**

die **Christen**

der **Christbaum**

die **Christbäume**

der **Clown**

die **Clowns**

der **Computer**

die **Computer**

D

da
dabei
das Dach
die Dächer
dafür
damit
danken
dann
daran
darum
das
davon
dazu
dein
dem
den

denken
denn
der
deutsch
der Dezember
dich
dick.
die
der Dienstag
die Dienstage
diese
dieser
der Dinosaurier
die Dinosaurier
dir
doch
der Donnerstag
die Donnerstage

A
B
C
D
E
F
G
H
I
J
K
L
M
N
O
P
Q
R
S
T
U
V
W
X
Y
Z

A
B
C
D
E
F
G
H
I
J
K
L
M
N
O
P
Q
R
S
T
U
V
W
X
Y
Z

das Dorf
die Dörfer
dort
die Dose
die Dosen
draußen
drei
drücken
du
dumm
dümmer
dunkel
dunkler
dünn
durch
dürfen, er darf
der Durst
durstig

E

die Ecke
die Ecken
das Ei
die Eier
eilig
der Eimer
die Eimer
ein
eine
einer
eines
einfach
einige
einmal
eins
das Eis

der Elefant

die Elefanten

elf

die Eltern

das Ende

die Enden

endlich

eng

die Ente

die Enten

er

die Erde

erklären

erlauben

erzählen

es

der Esel

die Esel

essen, sie isst

das Essen

die Essen

etwa

etwas

euch

euer

die Eule

die Eulen

eure

der Euro

die Euro

ewig

A
B
C
D
E
F
G
H
I
J
K
L
M
N
O
P
Q
R
S
T
U
V
W
X
Y
Z

F

fahren

er fährt

fallen, sie fällt

falsch

die Familie

die Familien

fangen

er fängt

der Februar

fehlen

der Fehler

die Fehler

feiern

fein

das Feld

die Felder

das Fenster

die Fenster

die Ferien

fertig

das Fest

die Feste

das Feuer

die Feuer

finden

der Finger

die Finger

der Fisch

die Fische

die Flasche

die Flaschen

fleißig

die Fliege

die Fliegen

fliegen

der Flügel

die Flügel

flüssig

fragen

die Frau

die Frauen

frech

frei

der Freitag

die Freitage

fremd

der Fremde

die Fremden

die Freude

die Freuden

freuen

der Freund

die Freunde

die Freundin

die Freundinnen

frieren

frisch

die Frucht

die Früchte

der Frühling

füllen

der Füller

die Füller

fünf

für

der Fuß

die Füße

A
B
C
D
E
F
G
H
I
J
K
L
M
N
O
P
Q
R
S
T
U
V
W
X
Y
Z

G

die Gabel

die Gabeln

ganz

der Garten

die Gärten

geben, sie gibt

der Geburtstag

die Geburtstage

gefährlich

gegen

gehen

gelb

gelbe Farbe

das Geld

die Gelder

das Gemüse

genau

genug

gerade

gern

das Geschenk

die Geschenke

das Gesicht

die Gesichter

gestern

gesund

gesunde Kinder

gesünder

gießen

die Giraffe

die Giraffen

das Glas

die Gläser

glatt

glauben
gleich
das Glück
graben
sie gräbt
das Gras
die Gräser
groß, größer
grün
der Grund
die Gründe
die Gruppe
die Gruppen
gut

H

das Haar
die Haare
haben, er hat
der Hals
die Hälse
halten, sie hält
die Hand
die Hände
hart, härter
der Hase
die Hasen
das Haus
die Häuser
die Haut
die Häute
heben

die	Hecke
die	Hecken
das	Heft
die	Hefte
	heiß
	heißen
	helfen, er hilft
	hell
das	Hemd
die	Hemden
	her
der	Herbst
der	Herr
die	Herren
das	Herz
die	Herzen
	heute
die	Hexe

die	Hexen
	hier
die	Hilfe
der	Himmel
	hin
	hinauf
	hinten
	hinter
	hoch, höher
	hoffen
	hoffentlich
	holen
	hören
die	Hose
die	Hosen
der	Hund
die	Hunde
	hundert

I

ich

der Igel

die Igel

ihm

ihn

ihnen

ihr

ihre

im

immer

in

der Indianer

die Indianer

ins

ist (es ist schön)

J

ja

das Jahr

die Jahre

der Januar

jede

jeder

jedes

jemand

jetzt

das Jo-Jo

die Jo-Jos

der Juli

jung, jünger

der Junge

die Jungen

der Juni

A
B
C
D
E
F
G
H
I
J
K
L
M
N
O
P
Q
R
S
T
U
V
W
X
Y
Z

A
B
C
D
E
F
G
H
I
J
K
L
M
N
O
P
Q
R
S
T
U
V
W
X
Y
Z

K

der **Käfer**

die **Käfer**

der **Kalender**

die **Kalender**

kalt, kälter

die **Kälte**

das **Kamel**

die **Kamele**

kaputt

der **Käse**

die **Katze**

die **Katzen**

kaufen

kein

keine

keiner

kennen

das **Kind**

die **Kinder**

klar

die **Klasse**

die **Klassen**

kleben

das **Kleid**

die **Kleider**

klein

klingen

klug, klüger

der **Knochen**

die **Knochen**

kochen

der **Koffer**

die **Koffer**

kommen

der König

die Könige

die Königin

die Königinnen

können, er kann

der Kopf

die Köpfe

der Körper

die Körper

kosten

krank

kränker

das Kraut

die Kräuter

kriegen

die Küche

die Küchen

der Kuchen

die Kuchen

die Kuh

die Kühe

kurz, kürzer

L

lachen

die Lampe

die Lampen

das Land

die Länder

lang, länger

langsam

lassen

er lässt

das Laub

La – Lu

A B C D E F G H I J K **L** M N O P Q R S T U V W X Y Z

laufen
sie läuft
laut
leben
das Leben
die Leben
leer
legen
der Lehrer
die Lehrer
die Lehrerin
die Lehrerinnen
leicht
leise
lernen
lesen, sie liest
die Leute
das Lexikon

die Lexika
das Licht
die Lichter
lieb
lieben
das Lied
die Lieder
liegen
links
das Loch
die Löcher
der Löffel
die Löffel
der Löwe
die Löwen
die Luft
die Lüfte
lustig

M

machen
das Mädchen
die Mädchen
der Mai
malen
die Mama
die Mamas
man
manchmal
der Mann
die Männer
der März
die Maus
die Mäuse
mehr
mein

meine
meiner
der Mensch
die Menschen
das Messer
die Messer
mich
die Milch
die Minute
die Minuten
mir
mit
der Mittag
die Mittage
die Mitte
der Mittwoch
die Mittwoche
mögen, er mag

A B C D E F G H I J K L **M N** O P Q R S T U V W X Y Z

der Monat

die Monate

der Montag

die Montage

morgen

der Morgen

müde

der Müll

der Mund

die Münder

die Musik

er muss

müssen

der Mut

mutig

die Mutter

die Mütter

N

nach

der Nachmittag

die Nachmittage

nächste

die Nacht

die Nächte

der Nagel

die Nägel

nah, näher

der Name

die Namen

die Nase

die Nasen

nass

natürlich

der Nebel

die Nebel

neben

nehmen

nein

das Nest

die Nester

neu

neun

nicht

nichts

nie

niemand

er nimmt

noch

die Not

die Nöte

der November

die Nudel

die Nudeln

nun

nur

O

ob

oben

das Obst

obwohl

oder

der Ofen

die Öfen

offen

oft

ohne

das Ohr

A
B
C
D
E
F
G
H
I
J
K
L
M
N
O
P
Q
R
S
T
U
V
W
X
Y
Z

die Ohren

der Oktober

die Oma

die Omas

der Onkel

die Onkel

der Opa

die Opas

der Ordner

die Ordner

der Ort

die Orte

Ostern

P

packen

das Paket

die Pakete

der Papa

die Papas

das Papier

die Papiere

die Pappe

die Pappen

die Pause

die Pausen

das Pferd

die Pferde

die Pflanze

die Pflanzen

pflanzen

pflegen

der Pilz

die Pilze

die Pizza

die Pizzas

der Platz

die Plätze

plötzlich

die Polizei

die Pommes

die Post

der Preis

die Preise

die Puppe

die Puppen

putzen

Qu

das Quadrat

die Quadrate

quaken

die Qualle

die Quallen

der Quark

der Quatsch

quer

A
B
C
D
E
F
G
H
I
J
K
L
M
N
O
P
Q
R
S
T
U
V
W
X
Y
Z

R

das Rad
die Räder
raten, sie rät
der Raum
die Räume
die Raupe
die Raupen
rechnen
rechts
reden
der Regen
regnen
reich
die Reise
die Reisen
reisen

rennen
richtig
riechen
der Ring
die Ringe
der Rock
die Röcke
rollen
der Roller
die Roller
rot, röter
der Rücken
die Rücken
rufen
rund
die Rutsche
die Rutschen
rutschen

S ☀

die Sache

die Sachen

der Saft

die Säfte

sagen

das Salz

die Salze

der Samstag

die Samstage

der Sand

sandig

der Satz

die Sätze

sauber

scharf

schärfer

schauen

scheinen

schenken

die Schere

die Scheren

schief

das Schiff

die Schiffe

schlafen

er schläft

schlagen

sie schlägt

schlau

schlecht

der Schlüssel

die Schlüssel

der Schmetterling

die Schmetterlinge

A
B
C
D
E
F
G
H
I
J
K
L
M
N
O
P
Q
R
S
T
U
V
W
X
Y
Z

schmutzig

der Schnee

schneiden

schnell

die Schokolade

schon

schön

schreiben

schreien

die Schrift

die Schriften

der Schuh

die Schuhe

die Schule

die Schulen

schwarz

schwärzer

die Schwester

die Schwestern

schwimmen

sechs

sehen, er sieht

sehr

die Seife

die Seifen

sein

seine

seiner

seit

die Seite

die Seiten

die Sekunde

die Sekunden

der September

sich

sie

sieben

singen

sitzen

so

der Sohn

die Söhne

sollen, sie soll

der Sommer

die Sommer

die Sonne

die Sonnen

der Sonntag

die Sonntage

sonst

die Spaghetti

sparen

spät

spielen

die Spinne

die Spinnen

spitz

der Sport

sprechen

er spricht

springen

die Stadt

die Städte

die Stange

die Stangen

der Stängel

die Stängel

stark, stärker

stehen

der Stein

die Steine

stellen

A
B
C
D
E
F
G
H
I
J
K
L
M
N
O
P
Q
R
S
T
U
V
W
X
Y
Z

A
B
C
D
E
F
G
H
I
J
K
L
M
N
O
P
Q
R
S
T
U
V
W
X
Y
Z

der Stift
die Stifte
still
die Stirn
die Stirnen
der Strauch
die Sträucher
der Stuhl
die Stühle
die Stunde
die Stunden
suchen
süß

T

die Tafel
die Tafeln
der Tag
die Tage
die Tante
die Tanten
die Tasche
die Taschen
die Tasse
die Tassen
tauchen
der Teddy
die Teddys
der Tee
die Tees
das Telefon

die Telefone

der Teller

die Teller

die Temperatur

die Temperaturen

teuer, teurer

der Text

die Texte

das Thermometer

die Thermometer

tief

das Tier

die Tiere

der Tisch

die Tische

die Tochter

die Töchter

der Topf

die Töpfe

das Tor

die Tore

tragen

sie trägt

der Traum

die Träume

traurig

trinken

trocken

tun, sie tut

die Tür

die Türen

turnen

die Tüte

die Tüten

A
B
C
D
E
F
G
H
I
J
K
L
M
N
O
P
Q
R
S
T
U
V
W
X
Y
Z

A
B
C
D
E
F
G
H
I
J
K
L
M
N
O
P
Q
R
S
T
U
V
W
X
Y
Z

U

üben

über

die Übung

die Übungen

das Ufer

die Ufer ·

das Ufo

die Ufos

die Uhr

die Uhren

um

und

der Unfall

die Unfälle

uns

unser

unsere

unten

unter

der Urlaub

die Urlaube

V

der Vater

die Väter

vergessen

sie vergisst

verkaufen

der Verkehr

verstehen

versuchen

viel

vielleicht
vier
der Vogel
die Vögel
voll
vom
von
vor
vorne
vorsichtig

W

der Wagen
die Wagen
der Wald
die Wälder
wann
warm, wärmer
die Wärme
warten
warum
was
waschen
er wäscht
das Wasser
der Weg
die Wege
Weihnachten

A
B
C
D
E
F
G
H
I
J
K
L
M
N
O
P
Q
R
S
T
U
V
W
X
Y
Z

A
B
C
D
E
F
G
H
I
J
K
L
M
N
O
P
Q
R
S
T
U
V
W
X
Y
Z

	weil	der	Wind
	weinen	die	Winde
	weiß	der	Winter
	weit	die	Winter
	welche		wir
	welcher		wissen, er weiß
	wem		wo
	wen	die	Woche
	wenig	die	Wochen
	wenn		wohnen
	wer	die	Wolke
	werden, er wird	die	Wolken
	werfen, er wirft		wollen, sie will
das	Wetter	das	Wort
	wie	die	Wörter
	wieder		wünschen
die	Wiese	die	Wurzel
die	Wiesen	die	Wurzeln

Z

die Zahl
die Zahlen
zählen
der Zahn
die Zähne
das Zebra
die Zebras
die Zehe
die Zehen
zehn
zeigen
die Zeit
die Zeiten
das Zimmer
die Zimmer
der Zoo

die Zoos
zu
der Zucker
zuerst
der Zug
die Züge
zum
zur
zusammen
zwei
der Zweig
die Zweige
die Zwiebel
die Zwiebeln
zwischen
zwölf

Hinweise

- Die Wörter sind nach dem ABC geordnet.

- Die Buchstaben
  ä, ö, ü, ß und äu sind unter
  a, o, u, ss und au eingeordnet.

C
D
E
F

- Die hervorgehobenen Buchstaben am
  Seitenrand helfen bei der Wörtersuche.

- Silbentrennstriche zeigen,
  wie ein Wort getrennt werden kann.

  Sil|ben|trenn|stri|che

  Manche Wörter können unterschiedlich getrennt
  werden. Andere Trennmöglichkeiten werden
  durch orangefarbene Trennstriche markiert.

  durch|ei|n|an|der

- Verwandte Wörter sind grau gedruckt.

  acht, achtzehn, achtzig, um acht, der Achte, achtmal

- Vor Nomen (Namenwörter) steht der Artikel (Begleiter). Übliche Mehrzahlformen (Plural) werden angegeben.

    der Ab|hang, die Abhänge

- Adjektive (Wiewörter) können gesteigert werden. Schwierige Steigerungsformen von Adjektiven werden angegeben.

    warm, wärmer, am wärmsten

- Verben (Tunwörter) werden in der Grundform und in einer Gegenwartsform (3. Person Einzahl) angegeben.

    ma|len, er malt

Bei unregelmäßigen Verben (Tunwörter) werden drei Zeitformen angegeben.

lau|fen, sie läuft, ich lief, er ist gelaufen

- Manche Wörter können unterschiedlich geschrieben werden.
  Andere verwendbare Schreibweisen, Abkürzungen oder Artikel stehen in eckigen Klammern.

  strub|be|lig [strubblig]

  der **Ki|lo|me|ter** [km], die Kilometer

  der [das] **Lap|top**

- Pfeile verweisen auf:
  verwandte Verben (Tunwörter),

  ab|schi|cken → schicken

  verwandte unregelmäßige Verben (kursiv) und

  ab|stei|gen → *steigen*

  gleich klingende Wörter, die aber unterschiedlich geschrieben werden.

  die **Sai|te** (beim Musikinstrument), die Saiten,
  Vergleich: → Seite

Wörterverzeichnis 2

(ab Klasse 3)

A

der **Aal**, die Aale

das **Aas**

ab, ab und zu

ab|**bei**|**ßen** → *beißen*

ab|**bie**|**gen** → *biegen*

die **Abbildung**,
die Abbildungen,
abbilden

ab|**bre**|**chen**
→ *brechen*,
der Abbruch

ab|**brem**|**sen**,
er bremst ab

das **ABC**

der **Abend**, die Abende,
am Abend, eines
Abends, heute
Abend, abends,
das Abendessen

das **Aben**|**teu**|**er**,
die Abenteuer,
abenteuerlich

aber

der **Aber**|**glau**|**be**,
abergläubisch

aber|**mals**

ab|**fah**|**ren** → *fahren*,
die Abfahrt

der **Abfall**, die Abfälle

ab|**flie**|**gen** → *fliegen*

ab|**flie**|**ßen** → *fließen*,
der Abfluss

das **Abgas**, die Abgase

ab|**ge**|**ben** → *geben*

der **Abgeordnete**,
die Abgeordneten,
die Abgeordnete

ab|**ge**|**wöh**|**nen**
→ *gewöhnen*

der **Abgrund**,
die Abgründe

ab|**gu**|**cken** → *gucken*

der **Abhang**, die Abhänge

ab|**hän**|**gig**

ab|**hau**|**en** → *hauen*

ab|**ho**|**len** → *holen*,
die Abholung

das **Abitur**

ab|**kür**|**zen** → *kürzen*,
die Abkürzung

ab|**le**|**gen** → *legen*,
der Ableger

ab|**leh**|**nen** → *lehnen*,
die Ablehnung

ab|**len**|**ken** → *lenken*,
die Ablenkung

abmachen
→ machen,
die Abmachung
abmelden → melden,
die Abmeldung
abnehmen
→ *nehmen*,
die Abnahme
das **Abo** (das Abonnement),
die Abos,
abonnieren
abrechnen
→ rechnen,
die Abrechnung
abreisen → reisen,
die Abreise
abreißen → *reißen*,
der Abriss
der **Absatz**, die Absätze
abschalten
→ schalten
abschicken
→ schicken
der **Abschied**,
die Abschiede
abschleppen
→ schleppen
abschließen
→ *schließen*,
der Abschluss

abschneiden
→ *schneiden*,
der Abschnitt
abschreiben
→ *schreiben*,
die Abschrift
abseits,
sie steht abseits,
im Abseits stehen
absenden → *senden*
die **Absenderin**,
die Absender,
der Absender
die **Absicht**,
die Absichten,
absichtlich
absolut
abspülen → spülen
abstammen,
es stammt ab,
die Abstammung
der **Abstand**,
die Abstände
absteigen → *steigen*,
der Abstieg
abstellen → stellen
abstimmen, er stimmt
ab, die Abstimmung
der **Absturz**, die Abstürze
abstürzen → stürzen

A
B
C
D
E
F
G
H
I
J
K
L
M
N
O
P
Q
R
S
T
U
V
W
X
Y
Z

das **Ab**teil, die Abteile
die **Ab**teilung,
   die Abteilungen
   abtrocknen
   → trocknen
   abwarten → warten
   abwärts
der **Ab**wasch, abwaschen,
   abwaschbar
das **Ab**wasser,
   die Abwässer
   abwechseln
   → wechseln,
   die Abwechslung,
   abwechselnd
   abwehren → wehren,
   die Abwehr
   abzählen → zählen
das **Ab**zeichen,
   die Abzeichen
die **Ab**zweigung,
   die Abzweigungen
   ach
die **Ach**se, die Achsen
die **Ach**sel, die Achseln
   acht, achtzehn,
   achtzig, um acht,
   der Achte, achtmal
   achten, sie achtet,
   achtgeben, achtlos,

   gib acht!,
   die Achtung
der **Ac**ker, die Äcker
die **Ac**tion (spannende Handlung), der Actionfilm,
   Vergleich: → Aktion
   addieren, sie addiert,
   die Addition
die **Ad**er, die Adern
das **Ad**jektiv (Wiewort),
   die Adjektive
der **Ad**ler, die Adler
   adoptieren,
   er adoptiert,
   die Adoption
die **Ad**resse,
   die Adressen,
   adressieren
der **Ad**vent
der **Af**fe, die Affen, affig
   Afrika, die Afrikaner,
   afrikanisch
die **AG** (Arbeitsgemeinschaft),
   die AGs
der **Ag**ent, die Agenten,
   die Agentin
   aggressiv,
   die Aggression
   ahnen, er ahnt, die
   Ahnung, ahnungslos

ähnlich,
die Ähnlichkeit
der **Ahorn**, die Ahorne
die **Ähre**, die Ähren,
die Getreideähre,
Vergleich: → Ehre
das **Aids** (Krankheit)
der **Airbag**, die Airbags
das **Akkordeon**,
die Akkordeons
der **Akku**, die Akkus
der **Akkusativ** (4. Fall,
Wen-oder-was-Fall)
die **Akrobatin**,
die Akrobaten, der
Akrobat, akrobatisch
die **Akte**, die Akten
die **Aktie**, die Aktien
die **Aktion** (Handlung),
die Aktionen,
Vergleich: → Action
aktiv, die Aktivität
aktuell
akut
der **Alarm**, die Alarme,
alarmieren
Albanien, die
Albaner, albanisch
albern, die Albernheit
der **Albtraum** [Alptraum],

die Albträume
das **Album**, die Alben
die **Alge**, die Algen
der **Alkohol**, alkoholfrei,
alkoholisch
all, alle, alles
das **All** (Weltall)
Allah
die **Allee**, die Alleen
allein, alleine
allerdings
die **Allergie**, die
Allergien, allergisch
allerhand
Allerheiligen
allerlei
allgemein,
im Allgemeinen
allmählich
der **Alltag**, alltäglich
allzu
die **Alm**, die Almen
die **Alpen**
das **Alphabet** (Abc),
alphabetisch
als
also
alt, älter, am ältesten,
das Alter
der **Altar**, die Altäre

A
B
C
D
E
F
G
H
I
J
K
L
M
N
O
P
Q
R
S
T
U
V
W
X
Y
Z

A
B
C
D
E
F
G
H
I
J
K
L
M
N
O
P
Q
R
S
T
U
V
W
X
Y
Z

die **Alternative**,
die Alternativen
das **Aluminium**,
die Alufolie
am (an dem)
der **Amateur**,
die Amateure,
die Amateurin
die **Ameise**, die Ameisen
Amerika,
die Amerikaner,
amerikanisch
die **Ampel**, die Ampeln
die **Amsel**, die Amseln
Amsterdam (Hauptstadt
der Niederlande)
das **Amt**, die Ämter,
amtlich
amüsieren,
sie amüsiert sich
an
die **Ananas**, die Ananas
[Ananasse]
der **Anbau**, anbauen
anbieten → *bieten*
anbinden → *binden*
der **Anblick**, anblicken
anbrennen
→ *brennen*
anbrüllen → brüllen

die **Andacht**,
die Andachten,
andächtig
andauernd
das **Andenken**,
die Andenken
andere, ein anderer,
etwas anderes
ändern, er ändert,
die Änderung
anders
der **Andrang**
aneinander
anerkennen,
sie erkennt an,
die Anerkennung
der **Anfall**, die Anfälle,
anfällig
der **Anfang**, die Anfänge,
der Anfänger,
anfangs
anfangen → *fangen*
anfassen → *fassen*
anfeuern → *feuern*
anfordern → *fordern*,
die Anforderung
anführen → *führen*,
die Anführerin
angeben → *geben*,
der Angeber,

die Angabe
angeblich
das Angebot,
   die Angebote
der Angehörige,
   die Angehörigen,
   die Angehörige
die Angeklagte,
   die Angeklagten,
   der Angeklagte
die Angel, die Angeln,
   die Anglerin, angeln
die Angelegenheit,
   die Angelegenheiten
angenehm
der Angestellte,
   die Angestellten,
   die Angestellte
angewöhnen
   → *gewöhnen*,
   die Angewohnheit
angreifen → *greifen*
der Angriff, die Angriffe
die Angst, die Ängste,
   ängstlich, ängstigen
angucken → *gucken*
anhalten → *halten*
der Anhänger,
   die Anhänger
Ankara (Hauptstadt

der Türkei)
der Anker, die Anker,
   ankern
anklagen → *klagen*
anklicken, er klickt an
ankommen
   → *kommen*,
   die Ankunft
ankreuzen → *kreuzen*
die Anlage, die Anlagen
der Anlass, die Anlässe,
   anlässlich
der Anlauf, die Anläufe,
   anlaufen
anlehnen,
   sie lehnt sich an
die Anleitung,
   die Anleitungen,
   anleiten
anmalen → *malen*
anmelden → *melden*,
   die Anmeldung
die Annahme, annehmen
die Annonce (Anzeige),
   die Annoncen
der Anorak, die Anoraks
die Anrede, anreden
der Anruf, die Anrufe
anrufen → *rufen*
ans (an das)

die **An|sa|ge**, die
Ansagen, ansagen
an|schau|en
→ schauen,
anschaulich,
die Anschauung
an|schei|nend,
der Anschein
an|schlie|ßen
→ schließen,
der Anschluss
an|schlie|ßend
an|schnal|len,
er schnallt sich an
die **An|schrift**,
die Anschriften
an|se|hen → sehen,
ansehnlich
die **An|sicht**,
die Ansichten
an|spre|chen
→ sprechen,
die Ansprache
der **An|spruch**,
die Ansprüche
an|stän|dig,
der Anstand
an|statt
an|ste|cken
→ stecken,

die Ansteckung,
ansteckend
an|stel|len → stellen,
die Anstellung
der **An|stoß**, die Anstöße,
anstoßen
an|stren|gen, sie
strengt sich an,
anstrengend,
die Anstrengung
die **Ant|ark|tis** (Südpol),
antarktisch
der **An|teil**, die Anteile
die **An|ten|ne**,
die Antennen
an|tik
die **An|ti|qui|tät**,
die Antiquitäten
der **An|trag**, die Anträge
die **Ant|wort**,
die Antworten
ant|wor|ten,
er antwortet
der **An|walt**, die Anwälte,
die Anwältin
an|wei|sen → weisen,
die Anweisung
an|wen|den
→ wenden,
die Anwendung

anwesend,
die Anwesenheit
die **Anzahl**, anzahlen, die
Anzahlung
die **Anzeige**, die
Anzeigen, anzeigen
anziehen → *ziehen*
der **Anzug**, die Anzüge
anzünden → *zünden*
das **Apartment**,
die Apartments
der **Apfel**, die Äpfel
die **Apfelsine**,
die Apfelsinen
die **Apotheke**,
die Apotheken,
der Apotheker
der **Apparat**, die Apparate
der **Appetit**, appetitlich
der **Applaus**,
applaudieren
die **Aprikose**,
die Aprikosen
der **April**
das **Aquarium**,
die Aquarien
der **Äquator**
Arabien, die Araber,
arabisch
die **Arbeit**, die Arbeiten,

die Arbeiterin
arbeiten, er arbeitet,
arbeitslos
der **Architekt**,
die Architekten,
die Architektin
der **Ärger**, das Ärgernis,
ärgerlich
ärgern, sie ärgert
das **Argument**,
die Argumente
die **Arktis** (Nordpol),
arktisch
arm, ärmer, am
ärmsten, die Armut,
ärmlich, armselig
der **Arm**, die Arme
der **Ärmel**, die Ärmel
das **Aroma**, die Aromen,
aromatisch
die **Art**, die Arten
artig (brav)
der **Artikel**, die Artikel
der **Artist**, die Artisten,
die Artistin
die **Ärztin**, die Ärzte,
der Arzt, ärztlich
die **Asche**, die Aschen
Asien, die Asiaten,
asiatisch

A
B
C
D
E
F
G
H
I
J
K
L
M
N
O
P
Q
R
S
T
U
V
W
X
Y
Z

der **Asphalt**, asphaltieren
das **Ass**, die Asse
der **Assistent**,
  die Assistenten,
  die Assistentin
der **Ast**, die Äste
das **Asthma**,
  die Asthmatikerin
der **Astronaut**,
  die Astronauten,
  die Astronautin
das **Asyl**
das **Atelier** (Künstlerwerk-
  statt), die Ateliers
der **Atem**, atemlos
  Athen (Hauptstadt von
  Griechenland)
die **Athletin**, die Athleten,
  der Athlet, athletisch
der **Atlantik**, der
  Atlantische Ozean
der **Atlas**, die Atlasse
  [die Atlanten]
  atmen, sie atmet,
  die Atmung
die **Atmosphäre**
das **Atom**, die Atome
das **Attentat**, die Attentate
das **Attest**, die Atteste
die **Attraktion**, die

Attraktionen, attraktiv
ätzen, ätzend
auch
auf, auf einmal
aufbauen → bauen
aufbrechen
  → *brechen*
aufeinander
der **Aufenthalt**,
  die Aufenthalte
auffällig, auffallen
auffassen → fassen,
  die Auffassung
auffordern → fordern,
  die Aufforderung
aufführen → führen,
  die Aufführung
die **Aufgabe**,
  die Aufgaben
der **Aufgang**,
  die Aufgänge
aufgeben → *geben*
aufgehen → *gehen*
aufgeregt
aufhalten → *halten*
aufhängen
  → hängen,
  der Aufhänger
aufheben → *heben*
aufhören → hören

aufkleben → kleben,
der Aufkleber
aufladen → *laden*
auflegen → legen,
die Auflage
aufmachen
→ machen
aufmerksam,
die Aufmerksamkeit
die **Aufnahme**,
die Aufnahmen,
aufnehmen
aufpassen → passen,
der Aufpasser
aufräumen, sie räumt
auf, aufgeräumt
aufrecht
aufregen → regen,
die Aufregung
aufrichtig
der **Aufsatz**, die Aufsätze
aufschieben
→ *schieben*,
der Aufschub
der **Aufschnitt**,
aufschneiden
aufschreiben
→ *schreiben*
die **Aufsicht**,
die Aufsichten

aufstehen → *stehen*
aufstellen → stellen,
die Aufstellung
der **Auftrag**, die Aufträge
auftreten → *treten*,
der Auftritt
aufwachen,
sie wacht auf
der **Aufwand**, aufwändig
[aufwendig]
aufwärts
aufwecken,
er weckt auf
aufwenden
→ wenden
der **Aufzug**, die Aufzüge
das **Auge**, die Augen,
das Augenlid
der **Augenblick**,
die Augenblicke,
augenblicklich
der **August**
aus
ausbessern,
sie bessert aus
ausbilden → bilden,
die Ausbildung,
die Auszubildende
der **Ausblick**,
die Ausblicke

die **Aus**dau**er**,
    ausdauernd
ausdeh**nen**
    → dehnen,
    die Ausdehnung
der **Aus**druck,
    die Ausdrücke,
    ausdrücklich,
    ausdrücken
ausein**an**der
die **Aus**fahrt
der **Aus**flug, die Ausflüge
ausführ**lich**
die **Aus**ga**be**,
    die Ausgaben
der **Aus**gang,
    die Ausgänge
ausge**ben** → geben
ausge**fal**len
ausge**hen** → gehen
ausge**rech**net
ausge**zeich**net,
    die Auszeichnung
ausgie**big** (reichlich)
ausgie**ßen** → gießen
der **Aus**gleich,
    ausgleichen
der **Aus**guss,
    die Ausgüsse
die **Aus**kunft,

    die Auskünfte
das **Aus**land, ausländisch,
    die Ausländer
auslei**hen** → leihen
die **Aus**nah**me**,
    die Ausnahmen,
    ausnahmsweise
auspa**cken** → packen
auspro**bie**ren
    → probieren
der **Aus**puff, die Auspuffe
ausrech**nen**
    → rechnen
die **Aus**re**de**,
    die Ausreden
ausrei**chen**, es reicht
    aus, ausreichend
ausrei**ßen** → reißen,
    der Ausreißer
ausru**fen** → rufen,
    der Ausruf,
    das Ausrufezeichen
ausru**hen** → ruhen
die **Aus**sa**ge**, die
    Aussagen, aussagen
ausschla**fen**
    → schlafen
ausschnei**den**
    → schneiden
ausschlie**ßen**

→ *schließen*
aussehen → *sehen*
außen
außer,
 außer Acht lassen
außerdem
außerhalb
äußerlich
äußern, er äußert,
 die Äußerung
außerordentlich
die **Aussicht**,
 die Aussichten
aussichtslos
der **Aussiedler**,
 die Aussiedler,
 die Aussiedlerin
die **Aussprache**,
 aussprechen,
 der Ausspruch
die **Ausstattung**,
 ausstatten
aussteigen → *steigen*
ausstellen → stellen,
 die Ausstellung
ausstopfen → stopfen
aussuchen → suchen
Australien,
 die Australier,
 australisch

auswählen → wählen,
 die Auswahl
auswandern
 → wandern,
 die Auswanderin
auswärts
der **Ausweg**,
 die Auswege,
 ausweglos
der **Ausweis**,
 die Ausweise,
 sich ausweisen
auswendig
die **Auszeichnung**,
 die Auszeichnungen,
 auszeichnen,
 ausgezeichnet
ausziehen → *ziehen*
das **Auto**, die Autos, Auto
 fahren, die Autobahn
das **Autogramm**,
 die Autogramme
der **Automat**,
 die Automaten
automatisch
die **Autorin**, die Autoren,
 der Autor
die **Axt**, die Äxte

A
B
C
D
E
F
G
H
I
J
K
L
M
N
O
P
Q
R
S
T
U
V
W
X
Y
Z

B 🍌

das **Baby**, die Babys,
   der Babysitter
der **Bach**, die Bäche
die **Backe**, die Backen
   backen, er backt
   [bäckt], ich backte
   [buk], sie hat
   gebacken, der
   Bäcker, die Bäckerei
das **Bad**, die Bäder,
   die Badewanne
   baden, er badet
   Baden-Württemberg,
   baden-
   württembergisch
der **Bagger**, die Bagger,
   baggern
das [die] **Baguette**
   (Stangenweißbrot),
   die Baguettes
die **Bahn**, die Bahnen,
   der Bahnhof,
   der Bahnsteig
die **Bahre**, die Bahren
die **Bakterie**,
   die Bakterien
   balancieren,

sie balanciert,
   die Balance
bald, möglichst bald,
   baldigst
sich **balgen**, die Balgerei
der **Balken**, die Balken
der **Balkon**, die Balkons
   [Balkone]
der **Ball**, die Bälle,
   sie spielt Ball
das **Ballett**, die Ballette
der **Ballon**, die Ballons
   [Ballone]
die **Banane**, die Bananen
das **Band**, die Bänder,
   das Stirnband
der **Band** (Buch), die Bände
die **Band** (Musikgruppe),
   die Bands
   bandagieren,
   er bandagiert,
   die Bandage
die **Bande**, die Banden
   bändigen, sie bändigt
der **Bandit**, die Banditen
   bange, ihm ist bange
die **Bank** (Sitzbank),
   die Bänke
die **Bank** (Geldbank),
   die Banken

bar, bar bezahlen,
das Bargeld

der **Bär**, die Bären

die **Baracke**,
die Baracken

barfuß, barfuß gehen

barmherzig,
die Barmherzigkeit

das **Barometer**,
die Barometer

der **Barren**, die Barren

der **Bart**, die Bärte, bärtig,
der Schnurrbart

der **Basar** [Bazar],
die Basare,
der Weihnachtsbasar

die **Base**, die Basen

der **Basketball**,
die Basketbälle,
Basketball spielen

der **Bass**, die Bässe,
der Kontrabass

der **Bast**, die Baste

basteln, sie bastelt,
die Bastelei

die [der] **Batik**,
die Batiken, batiken

die **Batterie**, die Batterien

der **Bau**, die Bauten

der **Bauch**, die Bäuche,

das Bauchweh

bauen, sie baut

der **Bauer** (Landwirt), die
Bauern, die Bäuerin

das [der] **Bauer** (Vogelkäfig),
die Bauer

der **Baum**, die Bäume

baumeln, es baumelt

Bayern, die Bayern,
bayerisch [bayrisch]

der **Bazillus** (Krankheits-
erreger), die Bazillen

beachten → achten,
beachtlich

der **Beamte**, die Beamten,
die Beamtin

beantragen,
er beantragt

beantworten
→ antworten

beaufsichtigen,
er beaufsichtigt

beben, es bebt,
das Erdbeben

der **Becher**, die Becher

das **Becken**, die Becken

bedächtig

sich **bedanken**,
sie bedankt sich

der **Bedarf**, die Bedarfe

bedauern,
er bedauert,
bedauerlich
bedecken, er bedeckt
bedenken → *denken*,
die Bedenken
bedeuten,
es bedeutet,
bedeutend,
die Bedeutung
bedienen, er bedient,
die Bedienung
die **Bedingung**,
die Bedingungen
bedrohen, er bedroht,
bedrohlich,
die Bedrohung
das **Bedürfnis**,
die Bedürfnisse,
bedürftig
sich beeilen, er beeilt sich
beeindrucken,
sie beeindruckt,
beeindruckend
beeinflussen,
sie beeinflusst,
die Beeinflussung
beenden, sie
beendet, beendigen
beerdigen

er beerdigt,
die Beerdigung
die **Beere**, die Beeren
das **Beet**, die Beete
befehlen, sie befiehlt,
er befahl, sie hat
befohlen, der Befehl
befestigen,
sie befestigt,
die Befestigung
befinden → *finden*
befreien, er befreit,
die Befreiung
befriedigend,
die Befriedigung
befruchten,
er befruchtet,
die Befruchtung
befürchten
→ fürchten,
die Befürchtung
begabt, die Begabung
sich begeben → *geben*
begegnen,
sie begegnet,
die Begegnung
begeistern,
sie begeistert,
die Begeisterung
begierig, die Begierde

begießen → *gießen*

der Beginn

beginnen, er beginnt,
   ich begann,
   sie hat begonnen

begleiten,
   sie begleitet,
   die Begleitung

beglückwünschen
   → wünschen

begraben → *graben*

das Begräbnis,
   die Begräbnisse

begreifen → *greifen*,
   der Begriff

begründen
   → gründen,
   die Begründung

begrüßen → grüßen,
   die Begrüßung

behaglich

behalten → *halten*,
   der Behälter

behandeln
   → handeln,
   die Behandlung

beharrlich

behaupten,
   er behauptet,
   die Behauptung

beheben → *heben*

beherrschen
   → herrschen

beherzt

behilflich

behindern,
   sie behindert

behindert,
   die Behinderten,
   die Behinderung

die Behörde,
   die Behörden

behüten → hüten

behutsam

bei

beichten, sie beichtet,
   die Beichte

beide

beieinander

der Beifahrer,
   die Beifahrer,
   die Beifahrerin

der Beifall

beige (sandfarben)

das Beil, die Beile

das Beileid

beim (bei dem)

das Bein, die Beine

beinahe

beisammen

das **Beispiel**,
die Beispiele,
zum Beispiel [z.B.]
beißen, sie beißt, ich
biss, er hat gebissen,
der Biss
der **Beitrag**, die Beiträge,
beitragen
bejahen, sie bejaht
bekannt,
die Bekannten,
die Bekanntschaft,
bekanntlich
die **Bekleidung**
bekommen
→ *kommen*
der **Belag**, die Beläge
belasten, er belastet,
die Belastung
belästigen,
er belästigt,
die Belästigung
belegen → *legen*
beleidigen,
sie beleidigt,
die Beleidigung
beleuchten
→ *leuchten*,
die Beleuchtung
Belgien, die Belgier,

belgisch
Belgrad (Hauptstadt
von Serbien)
beliebig
beliebt, die Beliebtheit
bellen, er bellt,
das Gebell
belohnen,
sie belohnt,
die Belohnung
bemerken → *merken*,
die Bemerkung
sich **bemühen**,
er bemüht sich,
die Bemühung
benachrichtigen,
sie benachrichtigt
sich **benehmen**
→ *nehmen*,
das Benehmen
beneiden,
sie beneidet
der **Bengel**, die Bengel
benoten, er benotet
benötigen, er benötigt
benutzen, sie benutzt,
die Benutzung
das **Benzin**
beobachten,
sie beobachtet,

die Beobachtung
be|quem,
  die Bequemlichkeit
be|ra|ten → *raten*, die
  Beratung, die Berater
be|rech|nen → rechnen
be|rech|tigt,
  berechtigen,
  die Berechtigung
der **Be|reich**, die Bereiche
be|reit, die Bereitschaft
be|rei|ten, sie bereitet
be|reits
be|reu|en, er bereut es
der **Berg**, die Berge,
  bergig, bergauf,
  bergsteigen
ber|gen, er birgt,
  ich barg,
  sie hat geborgen
der **Be|richt**, die Berichte
be|rich|ten,
  sie berichtet
be|rich|ti|gen,
  sie berichtigt,
  die Berichtigung
Ber|lin (Hauptstadt
  von Deutschland),
  die Berliner,
  berlinerisch

Bern (Hauptstadt
  der Schweiz)
be|rüch|tigt
be|rück|sich|ti|gen,
  er berücksichtigt,
  die Berücksichtigung
der **Be|ruf**, die Berufe,
  berufstätig, beruflich
be|ru|hi|gen,
  sie beruhigt,
  die Beruhigung
be|rühmt,
  die Berühmtheit
be|rüh|ren, er berührt,
  die Berührung
be|schä|di|gen,
  er beschädigt,
  die Beschädigung
die **Be|schaf|fen|heit**
be|schäf|ti|gen,
  sie beschäftigt,
  die Beschäftigung
der **Be|scheid**,
  die Bescheide,
  ich weiß Bescheid
die **Be|schei|den|heit**,
  bescheiden sein
die **Be|schei|ni|gung**, die
  Bescheinigungen,
  bescheinigen

A
B
C
D
E
F
G
H
I
J
K
L
M
N
O
P
Q
R
S
T
U
V
W
X
Y
Z

A
B
C
D
E
F
G
H
I
J
K
L
M
N
O
P
Q
R
S
T
U
V
W
X
Y
Z

be|sche|ren,
er beschert,
die Bescherung
be|schleu|ni|gen,
sie beschleunigt,
die Beschleunigung
be|schlie|ßen
→ *schließen*
der **Be|schluss**,
die Beschlüsse
be|schmut|zen,
sie beschmutzt
be|schrei|ben
→ *schreiben*,
die Beschreibung
be|schul|di|gen,
er beschuldigt,
die Beschuldigung
be|schüt|zen
→ *schützen*,
der Schutz
sich be|schwe|ren,
er beschwert sich,
die Beschwerde
be|sei|ti|gen,
er beseitigt,
die Beseitigung
der **Be|sen**, die Besen
be|set|zen, sie besetzt,
die Besetzung,

die Besatzung
be|sich|ti|gen,
sie besichtigt,
die Besichtigung
be|sie|gen → siegen,
die Besiegten
die **Be|sin|nung**,
sich besinnen,
besinnungslos
be|sit|zen, sie besitzt,
ich besaß, er hat
besessen, der
Besitz, die Besitzer
be|son|ders,
die Besonderheit
be|sor|gen, er besorgt,
die Besorgung
be|spre|chen
→ *sprechen*,
die Besprechung
bes|ser → gut
be|stä|ti|gen,
er bestätigt,
die Bestätigung
be|stäu|ben,
sie bestäubt
bes|te, am besten,
die beste Antwort
be|ste|chen
→ *stechen*,

die Bestechung
das **Besteck**, die Bestecke
be**ste**hen → *stehen*
be**stel**len, sie bestellt,
   die Bestellung
die **Bestie**, die Bestien
be**stim**men,
   er bestimmt, die
   Bestimmung, an
   bestimmten Tagen
be**stra**fen,
   sie bestraft,
   die Bestrafung
die **Be**strahlung,
   bestrahlen
be**strei**ten → *streiten*
der **Besuch**, die Besuche,
   die Besucher
be**su**chen, er besucht
be**täu**ben, sie betäubt,
   die Betäubung
be**tei**ligen,
   sie beteiligt,
   die Beteiligung
be**ten**, er betet,
   das Gebet
der **Beton**, betonieren
be**to**nen, sie betont,
   die Betonung
be**trach**ten,

er betrachtet,
   die Betrachtung
der **Betrag**, die Beträge,
   betragen
be**treu**en, er betreut,
   die Betreuung
der **Betrieb**, die Betriebe
be**trü**ben,
   es betrübt mich
der **Betrug**, die Betrüger
be**trü**gen, sie betrügt,
   ich betrog,
   er hat betrogen
be**trun**ken,
   der Betrunkene
das **Bett**, die Betten
bet**teln**, er bettelt,
   die Bettler
beu**gen**, er beugt
die **Beule**, die Beulen
be**ur**teilen,
   sie beurteilt,
   die Beurteilung
die **Beute**, erbeuten
der **Beutel**, die Beutel
die **Be**völkerung,
   bevölkert
be**vor**
be**vor**zugen,
   er bevorzugt

A
B
C
D
E
F
G
H
I
J
K
L
M
N
O
P
Q
R
S
T
U
V
W
X
Y
Z

sich be|wäh|ren,
er bewährt sich,
die Bewährung
be|wäs|sern,
sie bewässert,
die Bewässerung
be|we|gen, er bewegt,
die Bewegung
be|weg|lich, bewegt
der Be|weis, die Beweise,
beweisen
sich be|wer|ben → *werben*,
die Bewerbung
be|woh|nen
→ wohnen,
die Bewohner
be|wölkt,
die Bewölkung
be|wun|dern,
sie bewundert,
die Bewunderung
be|wusst, bewusstlos,
das Bewusstsein
be|zah|len, sie bezahlt,
die Bezahlung
die Be|zeich|nung,
bezeichnen
be|zie|hen, er bezieht
die Be|zie|hung,
die Beziehungen

be|zie|hungs|wei|se
[bzw.]
der Be|zirk, die Bezirke
der Be|zug, die Bezüge
be|züg|lich
die Bi|bel, die Bibeln
der Bi|ber, die Biber
die Bi|blio|thek,
die Bibliotheken,
die Bibliothekarin,
der Bibliothekar
bie|gen, er biegt, ich
bog, sie hat gebogen,
biegsam
die Bie|gung,
die Biegungen
die Bie|ne, die Bienen
das Bier, die Biere
das Biest, die Biester
bie|ten, sie bietet, ich
bot, er hat geboten
der Bi|ki|ni, die Bikinis
das Bild, die Bilder
bil|den, er bildet
die Bil|dung
bil|lig
ich bin → *sein*
die Bin|de, die Binden
bin|den, sie bindet,
ich band,

er hat gebunden,
der Bindestrich

die **Bindung**,
die Bindungen

die **Biografie** [Biographie],
die Biografien

die **Biologie**

der [das] **Biotop**,
die Biotope

die **Birke**, die Birken

die **Birne**, die Birnen,
der Birnbaum

bis, bis Köln,
bis morgen

der **Bischof**, die Bischöfe,
die Bischöfin

bisher

der **Biss**, die Bisse, bissig

bisschen,
ein bisschen

du **bist** → *sein*

das **Bit** (Informationseinheit
bei Computern),
die Bits [Bit]

die **Bitte**, die Bitten

bitten, sie bittet, ich
bat, er hat gebeten

bitter, die Bitterkeit

blähen, es bläht

blamieren, er blamiert,

die **Blamage**

blank

blanko (leer,
nicht ausgefüllt)

die **Blase**, die Blasen,
das Bläschen

blasen, sie bläst,
ich blies,
er hat geblasen

blass,
blasser [blässer],
am blassesten
[blässesten],
die Blässe

das **Blatt**, die Blätter,
blättern

blau, bläulich

das **Blech**, die Bleche,
blechern

das **Blei**, die Bleie, bleiern

bleiben, er bleibt,
ich blieb,
sie ist geblieben

bleich

der **Bleistift**, die Bleistifte

blenden, er blendet,
die Blendung

der **Blick**, die Blicke

blicken, sie blickt

blind, der Blinde

der **Blind**darm
blinken, er blinkt
der **Blin**ker, die Blinker
blinzeln, ich blinzele
   [blinzle], sie blinzelt
der **Blitz**, die Blitze,
   blitzen
der **Block**, die Blöcke
   [Blocks]
die **Block**flöte,
   die Blockflöten
blöd [blöde],
   der Blödsinn
blöken,
   das Schaf blökt
blond
bloß
blubbern, es blubbert
blühen, es blüht
die **Blu**me, die Blumen
der **Blu**men**kohl**
die **Blu**se, die Blusen
die **Blü**te, die Blüten
bluten, er blutet
das **Blut**, blutig
die **Bö** [Böe] (Windstoß),
   die Böen, böig
der **Bob** (Rennschlitten),
   die Bobs
der **Bock**, die Böcke,

   bockig
der **Bo**den, die Böden
der **Bo**gen,
   die Bogen [Bögen]
die **Boh**ne, die Bohnen
bohren, er bohrt
der **Boh**rer, die Bohrer
der **Boi**ler, die Boiler
   (Warmwasserbereiter)
die **Bo**je, die Bojen
bolzen, sie bolzt,
   der Bolzplatz
die **Bom**be, die Bomben,
   bombardieren
der **Bon** (Gutschein, Kassen-
   zettel), die Bons
der [das] **Bon**bon,
   die Bonbons
das **Boot**, die Boote
der **Bord**, die Borde,
   an Bord gehen,
   der Bordstein
borgen, er borgt
die **Bör**se, die Börsen
die **Bors**te, die Borsten,
   borstig
böse, böswillig,
   boshaft
die **Bö**schung,
   die Böschungen

Bosnien-
Herzegowina
der **Boss**, die Bosse
der **Bote**, die Boten,
die Botin
die **Botschaft**,
die Botschaften
die **Boutique** (kleiner
Laden), die Boutiquen
boxen, sie boxt,
die Boxer
der **Brand**, die Brände
Brandenburg,
die Brandenburger,
brandenburgisch
die **Brandung**,
die Brandungen
braten, er brät,
ich briet,
sie hat gebraten
der **Braten**, die Braten
Bratislava (Hauptstadt
der Slowakei)
der **Brauch**, die Bräuche
brauchen, sie braucht
brauen, er braut,
die Brauerei
braun, bräunlich,
bräunen
die **Brause**, die Brausen

brausen, er braust
die **Braut**, die Bräute
der **Bräutigam**,
die Bräutigame
brav
bravo!
brechen, sie bricht,
ich brach,
er hat gebrochen
der **Brei**, die Breie, breiig
breit, die Breite
Bremen, die Bremer,
bremisch
die **Bremse**, die Bremsen
bremsen, er bremst
brennen, es brennt,
es brannte,
es hat gebrannt
brennend
die **Brennnessel**
[Brenn-Nessel],
die Brennnesseln
brenzlig
das **Brett**, die Bretter
die **Brezel**, die Brezeln
der **Brief**, die Briefe,
brieflich,
die Briefmarke
das **Brikett**, die Briketts
der **Brillant**, die Brillanten

die **Bril**le, die Brillen,
das Brillenetui
bringen, er bringt,
ich brachte,
ich habe gebracht
die **Bri**se (Wind), die Brisen
der **Bro**cken, die Brocken,
bröckeln, bröckelig
[bröcklig]
brodeln, es brodelt
der **Brok**koli [Broccoli]
die **Brom**bee**re**,
die Brombeeren
die **Bron**chi**tis**,
die Bronchien
die **Bron**ze,
die Bronzemedaille
die **Bro**sche,
die Broschen
die **Bro**schü**re** (leichtes
Heft), die Broschüren
das **Brot**, die Brote
das **Bröt**chen,
die Brötchen
der **Bruch**, die Brüche,
brüchig
die **Brü**cke, die Brücken
der **Bru**der, die Brüder,
brüderlich
die **Brü**he, die Brühen,

brühen, verbrühen
brüllen, er brüllt,
das Gebrüll
brummen, er brummt,
der Brummer,
brummig
brünett (braunhaarig)
der **Brun**nen, die Brunnen
Brüssel (Hauptstadt
von Belgien)
die **Brust**, die Brüste
sich **brüs**ten,
sie brüstet sich
brutal, die Brutalität
brüten, sie brütet,
die Brut
brutto
brutzeln (braten),
es brutzelt
der **Bub**, die Buben
das **Buch**, die Bücher
die **Bu**che, die Buchen,
die Buchecker
die **Bü**che**rei**,
die Büchereien
die **Büch**se, die Büchsen
der **Buch**sta**be**,
die Buchstaben,
buchstabieren
die **Bucht**, die Buchten

der **Buckel**, die Buckel,
   buckelig [bucklig]
sich **bücken**, sie bückt sich
   Budapest (Hauptstadt
   von Ungarn)
   buddeln, er buddelt
der **Buddhismus**,
   buddhistisch
die **Bude**, die Buden
der **Büffel**, die Büffel
das **Büfett** [Buffet],
   die Büfetts,
   kaltes Büfett
der **Bügel**, die Bügel
   bügeln, er bügelt
die **Bühne**, die Bühnen
   Bukarest (Hauptstadt
   von Rumänien)
   Bulgarien, die
   Bulgaren, bulgarisch
der **Bulle**, die Bullen
der **Bumerang**,
   die Bumerangs
   [Bumerange]
   bummeln,
   sie bummelt,
   der Bummel
der **Bund** (Vereinigung),
   die Bünde,
   Geheimbund

das **Bund** (Gebundenes),
   die Bunde,
   ein Bund Blumen,
   Vergleich: → bunt
das **Bündel**, die Bündel,
   bündeln
die **Bundeskanzlerin**,
   der Bundeskanzler
die **Bundesliga**
der **Bundespräsident**, die
   Bundespräsidentin
die **Bundesregierung**, die
   Bundesregierungen
die **Bundesrepublik**
die **Bundeswehr**
das **Bündnis**,
   die Bündnisse,
   verbündet
der **Bunker**, die Bunker
   bunt, bunter,
   am buntesten,
   Vergleich: → Bund
die **Burg**, die Burgen
   bürgen, sie bürgt,
   der Bürge
der **Bürger**, die Bürger,
   die Bürgerin,
   die Bürgermeisterin,
   der Bürgersteig
das **Büro**, die Büros

der **Bursche**, die Burschen

die **Bürste**, die Bürsten

bürsten, sie bürstet

der **Bus**, die Busse

der **Busch**, die Büsche,
buschig

das **Büschel**, die Büschel

der **Busen**, die Busen

der **Bussard**,
die Bussarde

büßen, er büßt,
die Buße

die **Butter**, butterweich

das **Byte** (8 Bits),
die Bytes [Byte]

C

das **Cabrio** [Kabrio],
die Cabrios

das **Café**, die Cafés,
die Cafeteria,
Vergleich: → Kaffee

das **Camping**, campen,
der Campingplatz

die **CD**, die CDs

der **CD-Player**,
die CD-Player

die **CD-ROM**,
die CD-ROMs

das **Cello**, die Cellos
[Celli]

Celsius, 18 Grad
Celsius [18 °C]

der **Cent** [ct], 5 Cent

das **Chamäleon** (Echse),
die Chamäleons

der **Champignon** (Pilz),
die Champignons

der **Champion** (Gewinner),
die Champions, die
Champions League

die **Chance**, die Chancen

das **Chaos**, chaotisch

der **Charakter**,
die Charaktere,
charakteristisch

der **Charterflug**,
die Charterflüge

der **Chauffeur**,
die Chauffeure

checken, er checkt,
die Checkliste

die **Chefin**, die Chefs,
der Chef

die **Chemie**, chemisch

China, die Chinesen, chinesisch

der Chip, die Chips

der Chirurg, die Chirurgen

das Chlor

der Chor, die Chöre

der Christ, die Christen, christlich, Christus

das Chrom, verchromt

circa [zirka, ca.] (ungefähr)

die City (Innenstadt), die Citys

clever (klug)

die Clique (Freundeskreis), die Cliquen

der Clown, die Clowns

das Cockpit, die Cockpits

die [das] Cola, die Colas

die Collage (geklebtes Bild), die Collagen

der Comic, die Comics

der Computer, die Computer

der Container, die Container

cool

die Couch (Sofa), die Couchs [Couchen]

der Cousin (Vetter), die Cousins, die Cousine [Kusine]

der Cowboy, die Cowboys

die Creme [Krem, Kreme], die Cremes, cremen

das Croissant (Blätterteighörnchen), die Croissants

der [das] Curry (Gewürz)

der Cursor

D

da

dabei

das Dach, die Dächer

der Dachs, die Dachse

der Dackel, die Dackel

dadurch

dafür

dagegen

daheim

daher

dahin

dahinter

damals

A
B
C
D
E
F
G
H
I
J
K
L
M
N
O
P
Q
R
S
T
U
V
W
X
Y
Z

die **Da**me, die Damen
da**mit**
däm**lich**,
   die Dämlichkeit
der **Damm**, die Dämme
däm**men**, eindämmen
die **Däm**me**rung**,
   dämmern, dämmerig
   [dämmrig]
der **Dampf**, die Dämpfe,
   dämpfen, dampfen
der **Dampf**er, die Dampfer
da**nach**
da**neben**
Dänemark,
   die Dänen, dänisch
dan**ken**, er dankt, der
   Dank, danke schön,
   dankbar,
   die Dankbarkeit
dann
da**ran** [dran]
da**rauf** [drauf]
da**raus** [draus]
da**rein** [drein],
   dareinreden
da**rin** [drin]
der **Darm**, die Därme
dar**stellen**, sie stellt
   dar, die Darstellung,

   die Darstellerin
da**rüber** [drüber]
da**rum** [drum]
da**run**ter [drunter]
das (der, die, das),
   das Haus,
   Vergleich: → dass
dasje**ni**ge, diejenige
dass,
   ich glaube, dass ...,
   Vergleich: → das
dassel**be**
der **Da**tiv (3. Fall, Wemfall)
die **Dat**tel, die Datteln
das **Da**tum, die Daten
die **Dau**er
dau**ern**, es dauert
dau**ernd**, dauerhaft
der **Dau**men, die Daumen
da**von**
da**vor**
da**zu**
da**zwi**schen
die **DDR** (Deutsche
   Demokratische Republik)
das **Deck**,
   die Decks [Decke]
die **De**cke, die Decken
der **De**ckel, die Deckel
de**cken**, er deckt,

bedecken,
die Deckung
defekt (fehlerhaft)
der **Defekt**, die Defekte
dehnen, sie dehnt,
die Dehnung,
Vergleich: → denen
der **Deich**, die Deiche
die **Deichsel**,
die Deichseln
dein, deine, deiner
deinetwegen
dekorieren,
er dekoriert,
die Dekoration
der **Delfin** [Delphin],
die Delfine
die **Delikatesse**,
die Delikatessen
die **Delle**, die Dellen
dem, in dem Haus
demnach
demnächst
die **Demokratie**,
die Demokratien,
demokratisch
demonstrieren,
sie demonstriert,
die Demonstration
die **Demut**, demütig

den, sie hat den Ball,
Vergleich: → denn
denen, Bälle, mit
denen wir werfen,
Vergleich: → dehnen
denken, er denkt, ich
dachte, sie hat
gedacht, denkbar
das **Denkmal**,
die Denkmäler
[Denkmale]
denn, mehr denn je,
Vergleich: → den
dennoch
das **Deo**, die Deos,
das Deodorant
die **Deponie**,
die Deponien
der **Depp**, die Deppen
der (der, die, das),
der Mond
derartig
derb
deren
derjenige, dasjenige
derselbe, dasselbe
des
deshalb
dessen
das **Dessert**, die Desserts

desto
deswegen
der Detektiv,
  die Detektive,
  die Detektivin
deuten, sie deutet
deutlich,
  die Deutlichkeit
deutsch, deutsche
  Sprache, auf Deutsch
Deutschland,
  die Deutschen
der Dezember
der [das] Dezimeter [dm],
  die Dezimeter
das Dia, die Dias
der Diabetes (Krankheit),
  der Diabetiker
die Diagnose,
  die Diagnosen,
  diagnostizieren
das Diagramm,
  die Diagramme
der Dialekt, die Dialekte
der Diamant,
  die Diamanten
die Diät, die Diäten
dich
dicht, die Dichte
dichten, er dichtet,

die Dichterin,
die Dichtung
dick
das Dickicht, die Dickichte
die (der, die, das),
  die Katze
der Dieb, die Diebe,
  der Diebstahl
diejenige, derjenige
die Diele, die Dielen
dienen, sie dient
der Diener, die Diener
der Dienst, die Dienste,
  dienstlich
der Dienstag,
  die Dienstage,
  Dienstagabend,
  dienstags
dies, diese,
  dieser, dieses
der Diesel
dieselbe
diesem, diesen
diesig
diesmal, dieses Mal
die Differenz,
  die Differenzen
digital,
  die Digitalkamera
das Diktat, die Diktate

diktieren, er diktiert

der **Dill** (Gewürzpflanze)

das **Ding**, die Dinge

der **Dinosaurier**,
die Dinosaurier

das **Diplom**, die Diplome

dir

direkt

die **Direktorin**,
die Direktorinnen,
der Direktor,
die Direktoren

die **Dirigentin**,
die Dirigenten, der
Dirigent, dirigieren

das **Dirndl**, die Dirndl

die **Diskette**,
die Disketten

die **Diskothek**
[Disco, Disko],
die Diskotheken,
der Discjockey

die **Diskussion**,
die Diskussionen

diskutieren,
sie diskutiert

das **Display**, die Displays

disqualifizieren,
er disqualifiziert

die **Distanz**,

die Distanzen

die **Distel**, die Disteln

die **Disziplin**, diszipliniert

dividieren, sie
dividiert, die Division

doch

der **Docht**, die Dochte

die **Dogge**, die Doggen

der **Doktor** [Dr.],
die Doktoren,
die Doktorin

der **Dolch**, die Dolche

der **Dollar**, die Dollars

die **Dolmetscherin**,
die Dolmetscher,
der Dolmetscher

der **Dom**, die Dome

das **Domino**, die Dominos

der **Dompteur** (Tierbändiger), die Dompteure,
die Dompteurin

die **Donau** (Fluss)

der **Döner** [Dönerkebab],
die Döner

der **Donner**

donnern, es donnert

der **Donnerstag**,
die Donnerstage,
donnerstags

doof, die Doofheit

das **Do**ping, dopen
doppelt, das Doppelte
das **Dorf**, die Dörfer,
dörflich
der **Dorn**, die Dornen,
dornig
dort, dorthin
die **Do**se, die Dosen
dösen, sie döst
der [das] **Dot**ter,
die Dotter
der **Dra**che (Fabeltier),
die Drachen
der **Dra**chen (Fluggerät),
die Drachen
der **Draht**, die Drähte,
drahtig
das **Dra**ma, die Dramen,
dramatisch
dran [daran]
drängeln, er drängelt
drängen, sie drängt
draußen
dreckig, der Dreck
drehen, er dreht, der
Dreher, die Drehung
drei, dreizehn,
dreißig, dreihundert,
dreifach, dreimal,
die Dreiviertelstunde

das **Drei**eck, die Dreiecke,
dreieckig
dreschen, sie drischt,
ich drosch,
er hat gedroschen
Dresden
dressieren, er
dressiert, die Dressur
dribbeln, sie dribbelt,
das Dribbling
driften, er driftet
drin [darin]
dringen, er dringt
darauf, ich drang
darauf, sie hat
darauf gedrungen
dringend
drinnen
drittens, zum dritten
Mal, ein Drittel, zu
dritt, jeder Dritte
die **Dro**ge, die Drogen
die **Dro**gerie,
die Drogerien, der
Drogist, die Drogistin
drohen, sie droht,
drohend,
die Drohung
dröhnen, es dröhnt,
dröhnend

drollig
das Dromedar,
   die Dromedare
der [das] Drops (Bonbon),
   die Drops
die Drossel, die Drosseln
   drüben
   drüber [darüber]
der Druck, die Drucke,
   der Drucker, die
   Druckerei, drucken
   drücken, sie drückt,
   der Druckknopf
   drunter [darunter],
   drunter und drüber
die Drüse, die Drüsen
der Dschungel
   du
der Dübel, die Dübel
   Dublin (Hauptstadt von
   Irland)
sich ducken, er duckt sich
das Duell, die Duelle
der Duft, die Düfte, duften,
   duftig
   dulden, sie duldet,
   duldsam
   dumm, dümmer,
   am dümmsten,
   dümmlich,

die Dummheit
   dumpf
die Düne, die Dünen
der Dünger, düngen,
   der Dung
   dunkel, dunkelrot,
   die Dunkelheit
   dünn
der Dunst, die Dünste,
   verdunsten
das Dur (Tonart), C-Dur
   durch, durchaus
der Durchblick,
   durchblicken
die Durchblutung,
   durchblutet
   durcheinander,
   das Durcheinander
der Durchfall,
   die Durchfälle
   durchführen
   → führen,
   die Durchführung
der Durchgang,
   die Durchgänge
   durchhalten → *halten*
   durchlässig
der Durchmesser
   durchqueren,
   er durchquert

A
B
C
D
E
F
G
H
I
J
K
L
M
N
O
P
Q
R
S
T
U
V
W
X
Y
Z

A
B
C
D
E
F
G
H
I
J
K
L
M
N
O
P
Q
R
S
T
U
V
W
X
Y
Z

der **Durch|schnitt,**
    durchschnittlich
durch|set|zen,
    er setzte durch
durch|sich|tig,
    die Durchsicht
durch|su|chen
    → suchen,
    die Durchsuchung
dür|fen, er darf,
    ich durfte,
    sie hat gedurft
dürf|tig
dürr, die Dürre
der **Durst,** durstig
du|schen, sie duscht,
    die Dusche
die **Dü|se,** die Düsen
Düs|sel|dorf
düs|ter [duster]
das **Dut|zend** (12 Stück),
    Dutzende [dutzende]
du|zen, du duzt ihn
die **DVD,** die DVDs,
    der DVD-Player
dy|na|misch
das **Dy|na|mit**
der **Dy|na|mo,**
    die Dynamos
der **D-Zug,** die D-Züge

E

die **Eb|be,** Ebbe und Flut
eben
die **Ebe|ne,** die Ebenen,
    ebnen
eben|falls
eben|so
der **Eber,** die Eber
das **Echo,** die Echos
echt, die Echtheit
die **Ecke,** die Ecken, eckig
edel, veredeln
die **EDV** (elektronische
    Datenverarbeitung)
der **Efeu**
der **Ef|fekt,** die Effekte
egal (gleichgültig)
die **Eg|ge,** die Eggen,
    eggen
ego|is|tisch,
    der Egoismus,
    die Egoistin,
    der Egoist
ehe, eher, am ehesten
die **Ehe,** die Ehen,
    das Ehepaar
die **Eh|re,** die Ehren, die

Siegerehrung, ehren,
Vergleich: → Ähre
der **Ehr**geiz, ehrgeizig
ehrlich, die Ehrlichkeit
das **Ei**, die Eier, eiförmig
die **Ei**che, die Eichen
die **Ei**chel, die Eicheln
das **Eich**hörn**chen**,
die Eichhörnchen
der **Eid** (Schwur), die Eide
die **Ei**dech**se**,
die Eidechsen
der **Ei**fer, eifrig,
eifersüchtig
eigen, eigenartig,
die Eigenart,
die Eigenschaft
der **Ei**gen**sinn**,
eigensinnig
eigentlich
das **Ei**gen**tum**,
die Eigentümer
sich **eig**nen, geeignet
eilen, er eilt, eilig,
die Eile
der **Ei**mer, die Eimer
ein, eine, einer, eines
einan**der**
die **Ein**bahn**stra**ße,
die Einbahnstraßen

der **Ein**band,
die Einbände,
einbinden
die **Ein**bil**dung**,
die Einbildungen,
sich etwas einbilden,
eingebildet
einbre**chen**
→ *brechen*,
der Einbrecher,
der Einbruch
eindeu**tig**
eindrin**gen** → *dringen*
eindring**lich**
der **Ein**druck,
die Eindrücke,
eindrucksvoll
einein**halb**
[anderthalb]
einer**lei**
einfach,
die Einfachheit
einfä**deln**,
sie fädelt ein
die **Ein**fahrt,
die Einfahrten
der **Ein**fall, die Einfälle,
einfallsreich
einfal**len** → *fallen*
einfäl**tig**

der **Ein**fluss, die Einflüsse
die **Ein**füh**r**ung,
   die Einführungen,
   einführen
der **Ein**gang,
   die Eingänge
   ein**ge**bil**d**et
die **Ein**ge**we**ide
   ein**gie**ßen → *gießen*
   ein**hef**ten,
   er heftet ein
   ein**hei**misch,
   die Einheimischen
die **Ein**heit, die Einheiten
   ein**heit**lich
   ei**nig**, die Einigkeit
   ei**ni**ge, einigermaßen
sich ei**ni**gen, er einigt sich,
   die Einigung
der **Ein**kauf, die Einkäufe,
   einkaufen
das **Ein**kom**m**en,
   die Einkommen
   ein**la**den, sie lädt ein,
   ich lud ein, er hat
   eingeladen, die
   Einladung, einladend
der **Ein**lass, die Einlässe
   ein**las**sen → *lassen*
die **Ein**lei**t**ung,

   die Einleitungen
   ein**mal**, einmalig
das **Ein**mal**ein**s
die **Ein**nah**m**e,
   die Einnahmen
   ein**neh**men
   → *nehmen*
   ein**pa**cken → packen
   ein**prä**gen → prägen,
   einprägsam
die **Ein**rich**t**ung,
   die Einrichtungen,
   einrichten
   eins
   ein**sam**,
   die Einsamkeit
der **Ein**satz, die Einsätze
   ein**schen**ken,
   er schenkt ein
   ein**schla**fen
   → *schlafen*
   ein**schlie**ßen
   → *schließen*,
   eingeschlossen
   ein**schließ**lich
   ein**schu**len,
   er wird eingeschult,
   die Einschulung
   ein**sei**tig
die **Ein**sicht,

die Einsichten,
einsichtig, einsehen
ein|sper|ren,
sie sperrt ein
einst, einstmals
ein|stei|gen → *steigen*
ein|stim|mig
der Ein|sturz, die
Einstürze, einstürzen
die Ein|tei|lung,
die Einteilungen,
einteilen
die Ein|tracht, einträchtig
ein|tre|ten → *treten*,
der Eintritt
ein|ver|stan|den,
das Einverständnis
der Ein|wand,
die Einwände,
einwandfrei
der Ein|wan|de|rer,
die Einwanderer,
die Einwanderin
ein|wech|seln
→ wechseln
die Ein|woh|ne|rin,
die Einwohner,
der Einwohner
die Ein|zahl
ein|zeln, die Einzelheit

ein|zie|hen → *ziehen*,
der Einzug
ein|zig, einzige,
einzigartig
das Eis, eisig, eiskalt
das Ei|sen, die Eisen, die
Eisenbahn, eisern
ei|tel, die Eitelkeit
der Ei|ter, eitern, eitrig
ekeln, er ekelt sich,
ich ekele [ekle] mich,
der Ekel, ekelig
[eklig], ekelhaft
elas|tisch,
die Elastizität
die El|be (Fluss)
der Elch, die Elche
der Ele|fant, die Elefanten
ele|gant, die Eleganz
elek|trisch,
der Elektriker,
die Elektrizität,
die Elektronik
das Ele|ment,
die Elemente
das Elend, elend sein,
elendig
elf, elfmal, der Elfte,
der Elfmeter
die El|fe, die Elfen, der Elf

A
B
C
D
E
F
G
H
I
J
K
L
M
N
O
P
Q
R
S
T
U
V
W
X
Y
Z

der **Ellbogen**
[Ellenbogen],
die Ellbogen
die **Elster**, die Elstern
die **Eltern**
die [das] **E-Mail**,
die E-Mails,
die E-Mail-Adresse
der **Embryo**, die Embryos
empfangen,
sie empfängt,
ich empfing,
er hat empfangen,
der Empfang,
die Empfänger
empfehlen,
er empfiehlt,
ich empfahl,
sie hat empfohlen,
die Empfehlung
empfinden,
sie empfindet,
ich empfand,
er hat empfunden,
empfindlich,
die Empfindung
empor, die Empore
sich **empören**, sie empört
sich, empörend
emsig

das **Ende**, die Enden,
am Ende, beenden,
endlos, endgültig,
endlich
die **Energie**, die Energien,
energisch
eng, die Enge
der **Engel**, die Engel
England, die
Engländer, englisch
die **Enkelin**,
die Enkelinnen,
der Enkel, die Enkel
enorm
entbehren,
er entbehrt,
die Entbehrung
die **Entbindung**,
die Entbindungen,
entbinden
entdecken,
sie entdeckt,
die Entdeckung
die **Ente**, die Enten
entfernen, er entfernt,
die Entfernung,
entfernt
entführen,
sie entführt,
die Entführung

entgegen
entgegnen,
  er entgegnet
entgleisen,
  sie entgleist
enthalten → *halten*,
  die Enthaltung
entkommen
  → *kommen*
entlang
entlassen → *lassen*
entlaufen → *laufen*
sich entrüsten, er entrüstet
  sich, die Entrüstung
die Entschädigung,
  die Entschädigungen
entscheiden,
  sie entscheidet,
  ich entschied,
  er hat entschieden,
  die Entscheidung
sich entschließen,
  er entschließt sich,
  ich entschloss mich,
  sie hat sich
  entschlossen,
  der Entschluss
entschlüsseln,
  sie entschlüsselt
entschuldigen,

  sie entschuldigt,
  die Entschuldigung
das Entsetzen, entsetzlich
entspannen,
  er entspannt sich,
  die Entspannung
entsprechen
  → *sprechen*
entsprechend
entstehen → *stehen*,
  die Entstehung
enttäuschen,
  . sie enttäuscht,
  die Enttäuschung,
  enttäuschend
entweder ... oder ...
entwerfen, er entwirft,
  ich entwarf,
  sie hat entworfen,
  der Entwurf
entwerten,
  sie entwertet
entwickeln,
  er entwickelt,
  die Entwicklung
entziehen → *ziehen*
entziffern,
  sie entziffert
entzückend,
  das Entzücken

ent|zün|den,
 er entzündet,
 die Entzündung
ent|zwei
er, sie, es
er|ar|bei|ten,
 sie erarbeitet
das Er|bar|men,
 erbärmlich,
 sich erbarmen
erben, er erbt,
 die Erbin, das Erbe
er|beu|ten, sie erbeutet
er|bli|cken, sie erblickt
er|bost
die Erb|se, die Erbsen
das Erd|be|ben,
 die Erdbeben
die Erd|bee|re,
 die Erdbeeren
die Er|de, das Erdöl,
 das Erdgeschoss
das Er|eig|nis,
 die Ereignisse,
 sich ereignen,
 ereignisreich
er|fah|ren → *fahren*,
 die Erfahrung
er|fin|den → *finden*,
 die Erfindung

der Er|folg, die Erfolge,
 erfolgreich, erfolglos,
 erfolgen
er|for|der|lich, erfordern
er|for|schen
 → forschen
er|freu|lich, erfreuen
er|frie|ren → *frieren*
er|fri|schen, er erfrischt,
 erfrischend,
 die Erfrischung
er|fül|len → füllen,
 die Erfüllung
Er|furt
er|gän|zen, er ergänzt,
 die Ergänzung
das Er|geb|nis, die
 Ergebnisse, ergeben
er|gie|big
er|grei|fen → *greifen* .
er|hal|ten → *halten*
er|he|ben → *heben*
er|heb|lich
er|hit|zen, er erhitzt
die Er|ho|lung, sich
 erholen, erholsam
er|in|nern, er erinnert
 sich, die Erinnerung
die Er|käl|tung,
 sich erkälten

erkennen → *kennen*

erklären, sie erklärt,
die Erklärung

erkranken,
er erkrankt,
die Erkrankung

sich erkundigen,
sie erkundigt sich,
die Erkundigung

erlauben, er erlaubt,
die Erlaubnis

erläutern,
sie erläutert,
die Erläuterung

die Erle, die Erlen

erleben → *leben*,
das Erlebnis,
die Erlebnisse

erledigen, er erledigt,
die Erledigung

erleichtert,
erleichtern,
die Erleichterung

erlösen, sie erlöst,
die Erlösung

ermahnen,
er ermahnt,
die Ermahnung

ermäßigen,
er ermäßigt,

die Ermäßigung

ermitteln, sie ermittelt,
die Ermittlung

die Ernährung, ernähren

erneuern,
ich erneuere,
er erneuert,
die Erneuerung

erneut

ernst, ernsthaft,
der Ernst

ernten, sie erntet,
die Ernte

erobern, sie erobert,
die Eroberung

eröffnen, er eröffnet,
die Eröffnung

erpressen,
er erpresst,
die Erpressung

erraten → *raten*

die Erregung, erregen,
erregt

erreichen, sie
erreicht, erreichbar

errichten, er errichtet

erröten, sie errötet

der Ersatz, ersetzen

erschaudern,
sie erschaudert

erscheinen,
es erscheint,
die Erscheinung
erschöpft,
die Erschöpfung
erschrecken,
er erschrickt,
ich erschrak,
sie ist erschrocken,
der Schreck,
er erschreckt mich
erschüttern,
es erschüttert,
die Erschütterung
ersetzen, es ersetzt,
der Ersatz
die Ersparnis,
die Ersparnisse
erst, erst heute,
erst recht
erstaunt, erstaunen
erste, erstens,
erst mal, das erste
Mal, der Erste
ersticken, er erstickt,
die Erstickung
erstklassig
ertappen, sie ertappt
ertragen → *tragen*
ertrinken → *trinken*

erwachsen,
der Erwachsene
erwähnen,
er erwähnt,
die Erwähnung
erwarten, sie erwartet,
die Erwartung
erweisen,
es erweist sich
erwerben → *werben*,
die Erwerbung
erwidern, er erwidert,
die Erwiderung
erwischen,
sie erwischt
das Erz, die Erze
erzählen, er erzählt,
die Erzählung
erzeugen, sie erzeugt,
das Erzeugnis
erziehen, sie erzieht,
die Erziehung
es, es ist schön
die Esche, die Eschen
der Esel, die Esel
der Eskimo, die Eskimos
essen, er isst, ich aß,
sie hat gegessen,
essbar, iss!
das Essen, die Essen

der **Essig**, die Essige
Estland,
  die Estländer,
  estländisch
die **Etage**, die Etagen
die **Etappe**, die Etappen
das **Etikett**, die Etiketten
  etliche
das **Etui**, die Etuis
  etwa
  etwas, etwas Salz
  euch, euer, eure
die **Eule**, die Eulen
  euretwegen
der **Euro** [€], 20 Euro
  Europa, die Europäer,
  europäisch,
die **Europäische**
  Union [EU]
das [der] **Euter**, die Euter
  evangelisch [ev.]
das **Evangelium**,
  die Evangelien
  eventuell
  ewig, die Ewigkeit
  exakt
das **Exemplar**,
  die Exemplare
  existieren, es
  existiert, die Existenz

  exotisch
die **Expedition**,
  die Expeditionen
das **Experiment**,
  die Experimente,
  experimentieren
  explodieren,
  es explodiert,
  die Explosion
  extra
  extrem

F

die **Fabel**, die Fabeln,
  fabelhaft
die **Fabrik**, die Fabriken,
  fabrizieren,
  der Fabrikant
das **Fach**, die Fächer,
  fachgerecht
die **Fackel**, die Fackeln
  fad [fade]
der **Faden**, die Fäden,
  einfädeln
das **Fagott**, die Fagotte

fähig, die Fähigkeit
fahnden, sie fahndet,
die Fahndung
die Fahne, die Fahnen
die Fähre, die Fähren
fahren, er fährt, ich
fuhr, sie ist gefahren,
die Fahrt, der Fahrer,
das Fahrzeug
fahrlässig
das Fahrrad,
die Fahrräder
die Fährte (Spur),
die Fährten
fair, die Fairness,
Fair Play
der Falke, die Falken
der Fall, die Fälle, fällig
die Falle, die Fallen
fallen, sie fällt, ich fiel,
er ist gefallen
fällen, er fällt einen
Baum
falls
falsch, die Fälschung,
fälschen
falten, sie faltet,
die Falte, faltig
der Falter, die Falter
die Familie, die Familien

der Fan, die Fans,
der Fanklub
fangen, er fängt, ich
fing, sie hat
gefangen, der Fang,
die Fänge
die Fantasie [Phantasie],
die Fantasien,
fantasieren,
fantastisch
die Farbe, die Farben,
färben, farbenfroh,
farbig .
die Farm, die Farmen
der Farn, die Farne
der Fasan, die Fasane
der Fasching,
die Faschinge
[Faschings]
faseln, sie faselt
die Faser, die Fasern,
fasrig [faserig]
das Fass, die Fässer
die Fassade,
die Fassaden
fassen, er fasst, fass!,
die Fassung,
fassungslos
fast (beinahe)
fasten, er fastet

das **Fast Food** [Fastfood]
   (schneller Imbiss)
die **Fastnacht** [Fasnacht]
   fauchen, sie faucht
   faul, faulenzen,
   die Faulheit,
   der Faulpelz,
   Vergleich: → Foul
   faulen, es fault, faul,
   verfaulen, die Fäulnis
die **Faust**, die Fäuste
der **Favorit**, die Favoriten
das **Fax**, die Faxe, faxen
   (ein Fax schicken)
die **Faxen** (Faxen machen)
der **Februar**
   fechten, sie ficht,
   ich focht,
   er hat gefochten,
   die Fechter
die **Feder**, die Federn
die **Fee**, die Feen
   fegen, sie fegt,
   der Feger
   fehlen, er fehlt
der **Fehler**, die Fehler,
   fehlerfrei, fehlerhaft
   feiern, sie feiert,
   die Feier, feierlich,
   der Feiertag

   feige [feig], der
   Feigling, die Feigheit
die **Feige**, die Feigen
   feilen, er feilt, die Feile
   fein, die Feinheit
der **Feind**, die Feinde,
   die Feindschaft,
   feindlich, feindselig
das **Feld**, die Felder
die **Felge**, die Felgen,
   die Felgenbremse
das **Fell**, die Felle
der **Felsen** [Fels],
   die Felsen, felsig
das **Fenster**, die Fenster
die **Ferien**
das **Ferkel**, die Ferkel
   fern, die Ferne
der **Fernseher**,
   die Fernseher,
   fernsehen
die **Ferse**, die Fersen
   fertig, fertigstellen
   fesseln, sie fesselt,
   die Fessel
   fest, fester, feststellen
das **Fest**, die Feste,
   festlich
die **Festung**,
   die Festungen

fett, fettig, einfetten,
das Fett
der Fetzen, die Fetzen
feucht, die Feuchtigkeit
das Feuer, die Feuer,
feurig, die Feuerwehr
die Fibel, die Fibeln
die Fichte, die Fichten
das Fieber, fiebern,
fiebrig, das
Fieberthermometer
fies
die Figur, die Figuren
die Filiale, die Filialen
der Film, die Filme, filmen
der Filter, die Filter, filtern
der Filz, die Filze,
der Filzstift
das Finale, die Finale
die Finanzen, finanzieren,
das Finanzamt
finden, er findet,
ich fand, sie hat
gefunden, die
Finderin, der Fund
der Finger, die Finger
der Fink, die Finken
Finnland, die Finnen,
finnisch
finster, die Finsternis

die Firma, die Firmen
die Firmung, die
Firmungen, firmen
der First, die Firste,
der Dachfirst
der Fisch, die Fische,
der Fischer, fischen
fit, fitter, am fittesten,
die Fitness
fix
flach, die Fläche
flackern, es flackert
der Fladen, die Fladen
die Flagge, die Flaggen
der Flamingo,
die Flamingos
die Flamme, die Flammen
die Flanke, die Flanken,
flanken
die Flasche, die Flaschen
flattern, sie flattert
flau, die Flaute
der Flaum, flaumig
die Flechte, die Flechten
flechten, er flicht,
ich flocht,
sie hat geflochten
der Fleck, die Flecken,
fleckig
die Fledermaus,

die Fledermäuse

der **Flegel**, die Flegel

flehen, sie fleht

das **Fleisch**, fleischig,
die Fleischerin

der **Fleiß**, fleißig

flennen, er flennt

fletschen, sie fletscht

flicken, er flickt,
der Flicken

der **Flieder**, die Flieder

die **Fliege**, die Fliegen

fliegen, sie fliegt, ich
flog, er ist geflogen

fliehen, sie flieht, ich
floh, er ist geflohen,
die Flucht

die **Fliese**, die Fliesen

fließen, es fließt, es
floss, es ist geflossen

flimmern, es flimmert

flink

die **Flinte**, die Flinten

flitzen, sie flitzt

die **Flocke**, die Flocken,
flockig

der **Floh**, die Flöhe

das **Floß**, die Flöße

die **Flosse**, die Flossen

flöten, er flötet,

die Flöte

flott

der **Fluch**, die Flüche

fluchen, sie flucht

flüchten, er flüchtet,
die Flucht,
die Flüchtlinge

flüchtig, der
Flüchtigkeitsfehler

der **Flug**, die Flüge,
das Flugzeug

der **Flügel**, die Flügel

flügge

flunkern, ich flunkere,
sie flunkert

der **Flur** (Hausflur), die Flure

der **Fluss**, die Flüsse

flüssig, die Flüssigkeit

flüstern, er flüstert

die **Flut**, die Fluten, fluten

das **Fohlen**, die Fohlen

der **Föhn**, die Föhne

föhnen, sie föhnt

folgen, er folgt, die
Folge, folgend

die **Folie**, die Folien

foltern, sie foltert,
die Folter

die **Fontäne**,
die Fontänen

A
B
C
D
E
F
G
H
I
J
K
L
M
N
O
P
Q
R
S
T
U
V
W
X
Y
Z

fop|pen, er foppt

for|dern, sie fordert,
die Forderung

för|dern, er fördert,
der Förderunterricht,
die Förderung,
befördern

die For|rel|le, die Forellen

die Form, die Formen,
formen

for|ma|tie|ren,
sie formatiert

die For|mel, die Formeln

das For|mu|lar,
die Formulare

for|mu|lie|ren,
sie formuliert,
die Formulierung

for|schen, er forscht,
die Forscher,
die Forschung

der Förs|ter, die Försterin,
der Forst

fort

fort|fah|ren → *fahren*

fort|ge|hen → *gehen*

der Fort|schritt,
die Fortschritte,
fortschrittlich

fort|set|zen, sie setzt

fort, die Fortsetzung

fort|wäh|rend

das Fo|to, die Fotos,
die Fotografie,
fotografieren,
die Fotografin

die Fo|to|ko|pie,
die Fotokopien,
fotokopieren

das Foul (Regelverstoß),
die Fouls,
Vergleich: → faul

die Fracht, die Frachten,
der Frachter,
verfrachten

fra|gen, er fragt,
die Frage

frag|wür|dig, fraglich

fran|kie|ren,
sie frankiert

Frank|reich,
die Franzosen,
französisch

die Fran|se, die Fransen

die Frat|ze, die Fratzen

die Frau, die Frauen

frech, die Frechheit

frei, die Freiheit,
im Freien, freihändig

das Frei|bad, die Freibäder

freilich
der **Freitag**, die Freitage,
   freitags, am Freitag
freiwillig
die **Freizeit**
fremd, der Fremde,
   die Fremde
fressen, er frisst,
   es fraß,
   sie hat gefressen,
   der Fraß, gefräßig,
   friss!
sich **freuen**, sie freut sich,
   die Freude, freudig
der **Freund**, die Freunde,
   die Freundin,
   die Freundschaft
freundlich,
   die Freundlichkeit
der **Frieden** [Friede],
   friedlich
der **Friedhof**,
   die Friedhöfe
frieren, er friert, ich
   fror, sie hat gefroren,
   erfrieren
die **Frikadelle**,
   die Frikadellen
das **Frisbee** (Wurfscheibe),
   die Frisbees

frisch, die Frische
die **Frisörin** [Friseurin],
   die Frisöre,
   die Frisur,
   frisieren
die **Frist**, die Fristen,
   fristlos
froh, der Frohsinn
fröhlich,
   die Fröhlichkeit
fromm,
   die Frömmigkeit
Fronleichnam
die **Front**, die Fronten,
   frontal
der **Frosch**, die Frösche,
   der Froschlaich
der **Frost**, die Fröste,
   frostig, frösteln
das **Frotteehandtuch**, die
   Frotteehandtücher
die **Frucht**, die Früchte
fruchtbar
früh, frühestens
der **Frühling**, das Frühjahr
das **Frühstück**,
   frühstücken
der **Frust**, frustriert
der **Fuchs**, die Füchse
die **Fuge**, die Fugen

A
B
C
D
E
F
G
H
I
J
K
L
M
N
O
P
Q
R
S
T
U
V
W
X
Y
Z

sich **fügen**, er fügt sich
fühlen, sie fühlt, der
  Fühler, das Gefühl
die **Fuhre**, die Fuhren,
  das Fuhrwerk
führen, er führt, die
  Führung, der Führer,
  der Führerschein
füllen, sie füllt, die
  Fülle, die Füllung,
  der Füller
fummeln, er fummelt
der **Fund**, die Funde
das **Fundament**,
  die Fundamente
fünf, fünfzehn, fünfzig,
  fünfmal
der **Funke** [Funken],
  die Funken
funkeln, es funkelt
funken, sie funkt,
  der Funk, der Funker
funktionieren,
  es funktioniert,
  die Funktion
für, füreinander
die **Furche**, die Furchen
fürchten, er fürchtet
  sich, die Furcht
fürchterlich, furchtbar

die **Fürsorge**, fürsorglich
die **Fürstin**, der Fürst,
  fürstlich
das **Fürwort** (Pronomen),
  die Fürwörter
der **Fuß**, die Füße,
  zu Fuß, der Fußball,
  der Fußgänger
futsch (weg)
das **Futter**
füttern, sie füttert,
  die Fütterung
das **Futur** (Zukunft)

G

die **Gabe**, die Gaben
die **Gabel**, die Gabeln
gackern, sie gackert
gaffen, er gafft
der **Gag** (witziger Einfall),
  die Gags
gähnen, sie gähnt
die **Galaxie**, die Galaxien
der **Galgen**, die Galgen
die **Galle**, die Gallen

der **Galopp**, galoppieren
der **Gameboy**,
   die Gameboys
gammeln, es gammelt
die **Gämse**, die Gämsen
der **Gang**, die Gänge,
   die Gangschaltung
der **Gangster**,
   die Gangster
der **Ganove**, die Ganoven
die **Gans**, die Gänse
ganz, ganze, gänzlich
gar (fertig gekocht),
   garen
gar, gar nicht
die **Garage**, die Garagen
die **Garantie**,
   die Garantien,
   garantieren
die **Garderobe**,
   die Garderoben
die **Gardine**, die Gardinen
gären, es gärt,
   die Gärung
das **Garn**, die Garne,
   das Nähgarn
garnieren, er garniert
die **Garnitur**,
   die Garnituren
garstig

der **Garten**, die Gärten,
   die Gärtnerin,
   die Gärtnerei
das **Gas**, die Gase,
   die Abgase
die **Gasse**, die Gassen,
   das Gässchen
der **Gast**, die Gäste,
   gastlich,
   die Gaststätte
der **Gatte**, die Gatten,
   die Gattin
das **Gatter**, die Gatter
der **Gaukler**, die Gaukler
der **Gaul**, die Gäule
der **Gaumen**, die Gaumen
die **Gaunerin**, die Gauner,
   der Gauner
das **Gebäck**
die **Gebärde**,
   die Gebärden
gebären, sie gebärt,
   sie gebar,
   sie hat geboren
das **Gebäude**,
   die Gebäude
das **Gebell** [Gebelle]
geben, er gibt, ich
   gab, sie hat
   gegeben, gib!

A
B
C
D
E
F
G
H
I
J
K
L
M
N
O
P
Q
R
S
T
U
V
W
X
Y
Z

das **Ge**bet, die Gebete

das **Ge**biet, die Gebiete,
gebieten

gebildet,
die Gebildete

das **Ge**birge, die Gebirge,
gebirgig

das **Ge**biss, die Gebisse

das **Ge**bläse, die Gebläse

geboren,
sie ist geboren

das **Ge**bot, die Gebote

gebrauchen,
er gebraucht, der
Gebrauch, gebraucht

gebrechlich,
das Gebrechen

das **Ge**brüll

die **Ge**bühr, die Gebühren

die **Ge**burt, die Geburten

der **Ge**burtstag,
die Geburtstage

das **Ge**büsch,
die Gebüsche

das **Ge**dächtnis,
die Gedächtnisse

der **Ge**danke,
die Gedanken

das **Ge**deck, die Gedecke

gedeihen, es gedeiht

gedenken → *denken*,
das Gedenken

das **Ge**dicht, die Gedichte

das **Ge**dränge, gedrängt

die **Ge**duld, geduldig

geehrt

geeignet

die **Ge**fahr, die Gefahren,
gefährlich, gefährden

der **Ge**fährte,
die Gefährten,
die Gefährtin

das **Ge**fälle, die Gefälle

gefallen, es gefällt,
es gefiel,
es hat gefallen

der **Ge**fallen, die Gefallen

gefällig,
die Gefälligkeit

das **Ge**fängnis,
die Gefängnisse,
die Gefangenen

das **Ge**fäß, die Gefäße

das **Ge**fieder,
die Gefieder,
gefiedert

gefleckt

das **Ge**flügel

das **Ge**flüster, flüstern

gefräßig

gefroren, gefrieren

das Gefühl, die Gefühle,
gefühllos, gefühlvoll

gegen,
gegeneinander,
gegenseitig,
gegenüber

die Gegend,
die Gegenden

der Gegensatz,
die Gegensätze,
gegensätzlich

gegenseitig

der Gegenstand,
die Gegenstände

das Gegenteil

gegenüber

die Gegenwart,
gegenwärtig

der Gegner, die Gegner

das Gehalt, die Gehälter

gehässig

das Gehäuse,
die Gehäuse

das Gehege, die Gehege

geheim,
das Geheimnis,
geheimnisvoll

gehen, er geht,
ich ging,

sie ist gegangen,
der Gang

geheuer

der Gehilfe, die Gehilfen

das Gehirn, die Gehirne

das Gehöft, die Gehöfte

das Gehör, gehörlos

gehorchen,
sie gehorcht,
der Gehorsam,
gehorsam sein

gehören, es gehört ihr

der Geier, die Geier

die Geige, die Geigen

geil

die Geisel, die Geiseln

die Geiß (Ziege),
die Geißen

der Geist (Verstand), geistig,
der Geistliche

der Geist (Gespenst),
die Geister

geizig, der Geiz

das Gejammer

das Gekritzel

das Gel, die Gele [Gels]

das Gelächter

gelähmt,
die Gelähmte

das Gelände, die Gelände

A
B
C
D
E
F
G
H
I
J
K
L
M
N
O
P
Q
R
S
T
U
V
W
X
Y
Z

das **Geländer**,
   die Geländer
gelangweilt
gelb, gelblich
das **Geld**, die Gelder
das [der] **Gelee**,
   die Gelees
die **Gelegenheit**,
   die Gelegenheiten,
   gelegentlich
gelehrt, der Gelehrte,
   gelehrig
das **Gelenk**, die Gelenke,
   gelenkig
geliebt, die Geliebten
gelingen, es gelingt,
   es gelang,
   es ist gelungen
gelten, es gilt, es galt,
   es hat gegolten,
   die Geltung
gemächlich
der **Gemahl**, die Gemahlin
das **Gemälde**,
   die Gemälde
gemäß
gemein,
   die Gemeinheit
die **Gemeinde**,
   die Gemeinden

gemeinsam,
   die Gemeinsamkeit
gemeinschaftlich,
   die Gemeinschaft
das **Gemüse**
das **Gemüt**, die Gemüter
gemütlich,
   die Gemütlichkeit
genau, genauso,
   die Genauigkeit
genehmigen,
   sie genehmigt,
   die Genehmigung
geneigt
der **General**, die Generäle
die **Generation**,
   die Generationen
der **Generator**,
   die Generatoren
genial
das **Genick**, die Genicke
sich **genieren** (schämen),
   er geniert sich
genießen, sie genießt,
   ich genoss,
   er hat genossen,
   der Genuss,
   genüsslich,
   genießbar
der **Genitiv** (2. Fall, Wesfall)

die **Genossin**,
   die Genossen,
   die Genossenschaft
genug, genügen,
   genügend, es genügt,
   die Genugtuung
der **Genuss**, die Genüsse
die **Geografie**
   [Geographie]
die **Geometrie**,
   geometrisch
das **Gepäck**, packen,
   gepackt
gerade, geradeaus,
   geradezu
das **Gerät**, die Geräte
geraten, es gerät, es
   geriet, es ist geraten
geräumig
das **Geräusch**,
   die Geräusche
gerecht,
   die Gerechtigkeit
das **Gerede**
das **Gericht**, die Gerichte
gering
gerinnen, es gerinnt,
   es gerann,
   es ist geronnen
das **Gerippe**, die Gerippe

gerissen,
   die Gerissenheit
der **Germane**,
   die Germanen,
   Germanien,
   germanisch .
gern [gerne], lieber,
   am liebsten
das **Geröll**
die **Gerste**
der **Geruch**, die Gerüche,
   geruchlos
das **Gerücht**, die Gerüchte
das **Gerümpel**
das **Gerüst**, die Gerüste
gesamt, insgesamt,
   die Gesamtschule
die [der] **Gesandte**,
   die Gesandten
der **Gesang**, die Gesänge
das **Gesäß**, die Gesäße
das **Geschäft**,
   die Geschäfte,
   geschäftlich
geschehen,
   es geschieht,
   es geschah,
   es ist geschehen,
   das Geschehen
gescheit

A
B
C
D
E
F
G
H
I
J
K
L
M
N
O
P
Q
R
S
T
U
V
W
X
Y
Z

das **Ge**|**schenk**,
   die Geschenke
die **Ge**|**schich**|**te**,
   die Geschichten
ge|**schickt**,
   die Geschicklichkeit
ge|**schie**|den
   → *scheiden*
das **Ge**|**schirr**,
   die Geschirre
das **Ge**|**schlecht**,
   die Geschlechter
ge|**schlos**|sen
   → *schließen*
der **Ge**|**schmack**,
   die Geschmäcke,
   geschmackvoll
ge|**schmei**|dig
das **Ge**|**schöpf**,
   die Geschöpfe
das **Ge**|**schoss**,
   die Geschosse
das **Ge**|**schrei**
das **Ge**|**schütz**,
   die Geschütze
das **Ge**|**schwätz**,
   geschwätzig
ge|**schwind**,
   die Geschwindigkeit
die **Ge**|**schwis**|ter

ge|**schwol**|len
   → *schwellen*
das **Ge**|**schwür**,
   die Geschwüre
die **Ge**|**sel**|lin, die Gesellen
die **Ge**|**sell**|schaft,
   die Gesellschaften,
   gesellig
das **Ge**|**setz**, die Gesetze,
   gesetzlich, gesetzlos
das **Ge**|**sicht**, die Gesichter
das **Ge**|**spann**,
   die Gespanne
ge|**spannt**
das **Ge**|**spenst**,
   die Gespenster
ge|**spens**|tisch
   [gespenstig]
das **Ge**|**spräch**,
   die Gespräche,
   gesprächig
ge|**spren**|kelt
die **Ge**|**stalt**, die Gestalten
ge|**stal**|ten, er gestaltet
das **Ge**|**ständ**|nis,
   die Geständnisse
der **Ge**|**stank** → *stinken*
ge|**stat**|ten,
   sie gestattet
die **Ge**|**ste**, die Gesten

ge|ste|hen → *stehen,*
geständig

das Ge|stein, die Gesteine

das Ge|stell, die Gestelle

ges|tern, vorgestern

ge|streift

das Ge|strüpp,
die Gestrüppe

ge|sund, gesünder,
am gesündesten,
die Gesundheit

das Ge|tränk, die Getränke

das Ge|trei|de

ge|trennt

das Ge|trie|be, die Getriebe

das Ge|tu|schel

das Ge|wächs,
die Gewächse

ge|wäh|ren,
sie gewährt

die Ge|walt, die Gewalten,
gewaltig

das Ge|wand,
die Gewänder

ge|wandt sein,
die Gewandtheit

das Ge|wäs|ser,
die Gewässer

das Ge|we|be, die Gewebe

das Ge|wehr, die Gewehre

das Ge|weih, die Geweihe

das Ge|wer|be,
die Gewerbe

die Ge|werk|schaft,
die Gewerkschaften

ge|we|sen → *sein*

das Ge|wicht, die Gewichte

das Ge|wim|mel

das Ge|win|de,
die Gewinde

ge|win|nen, er gewinnt,
ich gewann,
sie hat gewonnen,
der Gewinn,
der Gewinner

das Ge|wirr

ge|wiss,
die Gewissheit

das Ge|wis|sen,
die Gewissen,
gewissenhaft

ge|wis|ser|ma|ßen

das Ge|wit|ter, die Gewitter,
gewittrig

ge|witzt

ge|wöh|nen,
sie gewöhnt,
die Gewohnheit,
die Gewöhnung,
gewöhnlich

A
B
C
D
E
F
G
H
I
J
K
L
M
N
O
P
Q
R
S
T
U
V
W
X
Y
Z

das **Ge**wölbe, die
Gewölbe, gewölbt
das **Ge**wühl
das **Ge**würz, die Gewürze
die **Ge**zeiten (Ebbe und Flut)
das **Ge**zwitscher
der **Gie**bel, die Giebel
die **Gier**, gierig
gießen, er gießt,
ich goss,
sie hat gegossen,
der Guss
das **Gift**, die Gifte, giftig
gigantisch, der Gigant
der **Gip**fel, die Gipfel
der **Gips**, gipsen
die **Gi**raffe, die Giraffen
die **Gir**lande,
die Girlanden
die **Gi**tarre, die Gitarren
das **Git**ter, die Gitter, .
vergittern
der **Glanz**, glänzen,
glänzend
das **Glas**, die Gläser,
gläsern
die **Gla**sur, die Glasuren
glatt, glatter [glätter],
am glattesten
[glättesten],

die Glätte
die **Glat**ze, die Glatzen
glauben, sie glaubt,
der Glaube, gläubig
gleich,
das Gleichgewicht,
gleichgültig,
gleichen, gleichfalls,
gleichmäßig,
gleichzeitig
das **Gleis**, die Gleise
gleiten, er gleitet, ich
glitt, sie ist geglitten
der **Glet**scher,
die Gletscher
das **Glied**, die Glieder,
die Gliedmaßen
gliedern, er gliedert,
die Gliederung
glimmen, es glimmt,
es glomm [glimmte],
es hat geglommen
[geglimmt]
glimpflich
glitschen, sie glitscht,
es ist glitschig
glitzern, es glitzert
der **Glo**bus, die Globen
[Globusse], global
die **Glo**cke, die Glocken,

das Glöckchen
glotzen, sie glotzt
das Glück,
   der Glückwunsch,
   glücklich, glücken,
   glücklicherweise
die Glucke, die Glucken
glühen, es glüht,
   glühend, die Glut
die Gnade, gnädig,
   gnadenlos
der Gockel, die Gockel
das Gold, golden, goldig
das Golf, Golf spielen
der Golf (Meeresbucht)
die Gondel, die Gondeln
der Gong, die Gongs,
   gongen
gönnen, er gönnt
das Gör (unerzogenes Kind),
   die Gören
der Gorilla, die Gorillas
die Gosse, die Gossen
der Gott, die Götter,
   göttlich
das Grab, die Gräber
graben, sie gräbt,
   ich grub,
   er hat gegraben
der Graben, die Gräben

der Grad, die Grade,
   25 Grad Wärme
der Graf, die Grafen,
   die Gräfin
der Gram (Kummer),
   sich grämen
das Gramm [g], 20 Gramm
die Grammatik,
   die Grammatiken,
   grammatisch
die Granate,
   die Granaten
der Granit, die Granite
grantig
die Grapefruit (Pampel-
   muse), die Grapefruits
das Gras, die Gräser,
   grasen
grässlich
der Grat (Bergkamm),
   die Grate
die Gräte, die Gräten
gratis (kostenlos)
die Grätsche,
   die Grätschen
grätschen, er grätscht
gratulieren,
   sie gratuliert,
   die Gratulation
grau, gräulich

A
B
C
D
E
F
G
H
I
J
K
L
M
N
O
P
Q
R
S
T
U
V
W
X
Y
Z

grau|en, es graut mir,
das Grauen,
grauenhaft,
die Gräueltat
die Grau|pel (Hagelkorn),
die Graupeln
grau|sam,
die Grausamkeit
grei|fen, er greift, ich
griff, sie hat
gegriffen, der Griff
die Grei|sin, die Greise
grell, grelles Licht
die Gren|ze, die Grenzen
Grie|chen|land, die
Griechen, griechisch
der Grieß, der Grießbrei
der Griff, die Griffe, griffig
der Grill, die Grills, grillen
die Gril|le (Insekt),
die Grillen
die Grimas|se,
die Grimassen
grim|mig
grin|sen, sie grinst
die Grip|pe
grob, gröber,
am gröbsten
grö|len, er grölt
grol|len, sie grollt

groß, größer, am
größten, die Größe,
die Großeltern,
großzügig
groß|ar|tig
Groß|bri|tan|ni|en,
die Briten, britisch
die Grot|te, die Grotten
das Grüb|chen,
die Grübchen
die Gru|be, die Gruben
grü|beln, er grübelt
die Gruft, die Grüfte
grün, grünlich
der Grund, die Gründe
grün|den, sie gründet,
die Gründung
gründ|lich
grund|sätz|lich,
der Grundsatz
die Grund|schu|le,
die Grundschulen,
die Grundschüler
das Grund|stück,
die Grundstücke
grun|zen, es grunzt
die Grup|pe, die Gruppen
sich gru|seln,
er gruselt sich
der Gruß, die Grüße

grüßen, sie grüßt
die Grütze, die Grützen
gucken [kucken], er
   guckt, das Guckloch
das [der] Gulasch, die
   Gulasche [Gulaschs]
die Gülle (Jauche)
der [das] Gully, die Gullys
   gültig, die Gültigkeit
der [das] Gummi,
   die Gummis,
   der [das] Gummitwist
   günstig, die Gunst
   gurgeln, ich gurgle
   [gurgele], sie gurgelt,
   die Gurgel
die Gurke, die Gurken
   gurren, die Taube
   gurrt
der Gurt, die Gurte, gurten
der Gürtel, die Gürtel
der Guss, die Güsse
   gut, besser, am
   besten, etwas Gutes
   tun, alles Gute
das Gut, die Güter
   gütig, die Güte
das Gymnasium,
   die Gymnasien
die Gymnastik

das Haar, die Haare,
   das Härchen,
   haaren, haarig,
   der Haarschnitt
das Hab und Gut
   haben, er hat, ich
   hatte, sie hat gehabt
   habgierig, die Habgier
der Habicht, die Habichte
die Hachse [Haxe],
   die Hachsen
die Hacke [der Hacken]
   (Ferse), die Hacken
die Hacke (Werkzeug),
   die Hacken
   hacken,
   sie hackt Holz
der Hafen, die Häfen
der Hafer,
   die Haferflocken
die Haft, der Häftling
   haften, er haftet,
   verhaften
die Hagebutte,
   die Hagebutten
der Hagel, hageln

A
B
C
D
E
F
G
H
I
J
K
L
M
N
O
P
Q
R
S
T
U
V
W
X
Y
Z

hager
der **Hahn**, die Hähne
der **Hai**, die Haie
häkeln, sie häkelt
der **Haken**, die Haken
halb, halb zwei,
halb voll, halbieren,
halbjährig, halbtags,
der Halbmond
die **Halde**, die Halden
die **Hälfte**, die Hälften
die **Halle**, die Hallen
hallen, es hallt
die **Hallig**, die Halligen
hallo
Halloween (31. Oktober)
der **Halm**, die Halme
die **Halogenlampe**,
die Halogenlampen
der **Hals**, die Hälse
halten, er hält,
ich hielt, sie hat
gehalten, haltbar,
die Haltestelle
der **Halunke**,
die Halunken
Hamburg,
die Hamburger,
hamburgisch
hämisch, die Häme

der **Hammel**, die Hammel
der **Hammer**, die
Hämmer, hämmern,
ich hämmere
hampeln, sie hampelt
der **Hamster**, die Hamster,
hamstern
die **Hand**, die Hände,
die Handwerkerin,
handlich
handeln, er handelt,
die Handlung,
der Händler
das **Handy**, die Handys
der **Hang**, die Hänge
hängen, das Bild
hängt an der Wand,
es hing an der Wand,
es hat gehangen
hängen, er hängt das
Bild an die Wand,
ich hängte, sie hat es
an die Wand gehängt
Hannover
hänseln, sie hänselt
hantieren, er hantiert
der **Happen**, die Happen
happy (glücklich)
die **Hardware**,
die Hardwares

die **Har**ke, die Harken,
harken
harmlos
harmo**nisch,
die Harmonie
der **Harn**, die Harnblase
der **Har**nisch (Brustpanzer),
die Harnische
die **Har**pu**ne,
die Harpunen
hart, härter, am
härtesten, die Härte,
hartnäckig
das **Harz** (am Baum),
die Harze, harzig
haschen (fangen),
sie hascht
der **Ha**se, die Hasen,
das Häschen
die **Ha**sel**nuss,
die Haselnüsse
hassen, er hasst,
der Hass
hässlich,
die Hässlichkeit
du **hast** → *haben*
die **Hast**, hastig, hasten
sie **hat**, er hatte → *haben*
der **Hat**trick, die Hattricks
die **Hau**be, die Hauben

der **Hauch**, hauchen
hauen, sie haut
der **Hau**fen, die Haufen
häufig
das **Haupt**, die Häupter
der **Häupt**ling,
die Häuptlinge
hauptsäch**lich,
die Hauptsache
die **Haupt**stadt,
die Hauptstädte
das **Haus**, die Häuser,
haushoch, hausen,
das Zuhause,
zu Hause [zuhause]
sein, nach Hause
[nachhause],
die Hausaufgaben
die **Haut**, die Häute
die **Heb**am**me,
die Hebammen
der **He**bel, die Hebel
heben, er hebt, ich
hob, sie hat gehoben
der **Hecht**, die Hechte
das **Heck**, die Hecks
[Hecke],
die Heckscheibe
die **He**cke (aus Sträuchern),
die Hecken

das **Heer**, die Heere

die **Hefe**, der Hefeteig

das **Heft**, die Hefte, heften

heftig, die Heftigkeit

hegen und pflegen

die **Heide**, die Heiden

die **Heidelbeere**,
die Heidelbeeren

heikel

heil, heilen, die
Heilung, der Heiland

heilig, der Heilige,
der Heilige Abend

heillos

das **Heim**, die Heime,
das Heimweh,
ich fahre heim

die **Heimat**, heimatlich,
heimatlos

heimlich,
die Heimlichkeit

das **Heinzelmännchen**,
die Heinzelmännchen

heiraten, er heiratet,
die Heirat

heiser, die Heiserkeit

heiß, heißer,
am heißesten

heißen, er heißt,
ich hieß,

sie hat geheißen

heiter, die Heiterkeit

heizen, sie heizt, die
Heizung, das Heizöl

die **Hektik**, hektisch

der [das] **Hektoliter** [hl],
die Hektoliter

der **Held**, die Helden

helfen, er hilft, ich
half, sie hat geholfen,
die Hilfe

hell, die Helligkeit

der **Helm**, die Helme

Helsinki (Hauptstadt von
Finnland)

das **Hemd**, die Hemden

hemmen, sie hemmt,
die Hemmung

der **Hengst**, die Hengste

der **Henkel**, die Henkel

die **Henne**, die Hennen

her, hin und her,
herab, heran, herauf,
heraus

herb

die **Herberge**,
die Herbergen

der **Herbst**, herbstlich

der **Herd**, die Herde

die **Herde**, die Herden

he|rein, hereinkommen

der He|ring, die Heringe

der Herr, die Herren

herr|lich,
die Herrlichkeit

herr|schen,
er herrscht,
die Herrschaft,
die Herrscherin

her|stel|len, sie stellt
her, die Herstellung

he|rü|ber

he|r|um

he|r|unter

her|vor, hervorragend

das Herz, die Herzen,
herzlich, die
Herzlichkeit, herzhaft

die Her|zo|gin,
die Herzöge

Hes|sen, die Hessen,
hessisch

het|zen, sie hetzt,
die Hetze

das Heu, die Heuschrecke

heu|cheln, er heuchelt

heu|er (in diesem Jahr)

die Heu|er (Lohn für Seeleute)

heu|len, sie heult

heu|te, heute Morgen

die He|xe, die Hexen,
hexen, verhext

der Hieb, die Hiebe

hier, hieran, hierauf,
hierbei, hierdurch,
hierher, hiermit,
hierzu, hierbleiben

die Hie|ro|gly|phen
(alte Schriftzeichen)

hie|sig

die Hil|fe, die Hilfen,
hilfsbereit, hilflos

die Him|bee|re,
die Himbeeren

der Him|mel, himmlisch

hin, hinab, hinauf,
hinaus, hingegen,
hinsetzen, hinweg,
die Hinsicht

hin|dern, er hindert,
das Hindernis,
verhindern

hin|durch

hin|ein

hin|ken, sie hinkt

hin|ten

hin|ter, hintereinander,
hinterher, hinterlistig,
der Hintergrund

der Hin|tern, die Hintern

A
B
C
D
E
F
G
H
I
J
K
L
M
N
O
P
Q
R
S
T
U
V
W
X
Y
Z

hinüber, hinunter
der **Hinweis**, die Hinweise
hinzu
das **Hirn**, die Hirne
der **Hirsch**, die Hirsche
der **Hirt** [Hirte], die Hirten
der **Hit**, die Hits,
die Hitparade
die **Hitze**, hitzefrei, hitzig
das **Hobby**, die Hobbys
der **Hobel**, die Hobel,
hobeln
hoch, höher, am
höchsten,
der hohe Turm
höchstens
die **Hochzeit**,
die Hochzeiten
hocken, er hockt,
die Hocke
der **Hocker**, die Hocker
das **Hockey**,
Hockey spielen
der **Hoden**, die Hoden
der **Hof**, die Höfe,
das Gehöft
hoffen, sie hofft,
die Hoffnung
hoffentlich
höflich, die Höflichkeit

die **Höhe**, die Höhen
hohl
die **Höhle**, die Höhlen
der **Hohn**, verhöhnen
der **Hokuspokus**
holen, er holt
Holland,
die Holländer,
holländisch
die **Hölle**, die Höllen
holprig [holperig],
holpern
der **Holunder**
das **Holz**, die Hölzer
die **Homepage** (Internet-
seite), die Homepages
der **Honig**, die Honige
der **Hopfen**
hoppeln, er hoppelt
hoppla
hopsen, sie hopst
horchen, er horcht
die **Horde**, die Horden
hören, sie hört,
hörbar, der Hörer
der **Horizont**, horizontal
das **Horn**, die Hörner
die **Hornisse**,
die Hornissen
das **Horoskop**,

die Horoskope

der **Hort**, die Horte

horten,

  er hortet Vorräte

die **Ho**se, die Hosen

das **Hos**pital, die

  Hospitale [Hospitäler]

die **Hos**tie, die Hostien

das [der] **Hot**dog [Hot

  Dog], die Hotdogs

das **Ho**tel, die Hotels

hübsch

der **Hub**schrauber,

  die Hubschrauber

huckepack

der **Huf**, die Hufe

die **Hüf**te, die Hüften

der **Hü**gel, die Hügel,

  hügelig [hüglig]

das **Huhn**, die Hühner

die **Hül**le, die Hüllen,

  enthüllen

die **Hül**se, die Hülsen

die **Hum**mel,

  die Hummeln

der **Hu**mor, humorlos,

  humorvoll

humpeln, sie humpelt

der **Hu**mus,

  der Humusboden

der **Hund**, die Hunde

hundert,

  ein Hunderter,

  zweihundert,

  hundertmal

der **Hun**ger, hungern,

  hungrig

die **Hu**pe, die Hupen,

  hupen

hüpfen, er hüpft

die **Hür**de, die Hürden

hurra, Hurra schreien

  [hurra schreien]

huschen, sie huscht

der **Hus**ten, husten

der **Hut**, die Hüte

hüten, er hütet,

  behüten,

  auf der Hut sein

die **Hüt**te, die Hütten

die **Hyä**ne, die Hyänen

die **Hya**zinthe,

  die Hyazinthen

der **Hyd**rant,

  die Hydranten

die **Hygi**ene, hygienisch

die **Hym**ne, die Hymnen,

  die Nationalhymne

A
B
C
D
E
F
G
H
I
J
K
L
M
N
O
P
Q
R
S
T
U
V
W
X
Y
Z

der **ICE** [Intercity-expresszug], die ICEs [ICE]

ich

ideal, das Ideal

die **Idee**, die Ideen

der **Idiot**, die Idioten, die Idiotin, idiotisch

das **Idol**, die Idole

das **Idyll**, die Idylle, idyllisch

der **Igel**, die Igel

der [das] **Iglu**, die Iglus

ihm, gib ihm das Buch

ihn, sie mag ihn

ihnen, gib ihnen die Teller

ihr, ihre Uhr, ihr Koffer

die **Illustrierte**, die Illustrierten

im (in dem), im Garten

der **Imbiss**, die Imbisse

die **Imkerin**, die Imker

immer, immerhin, immerzu, immer noch, immer wieder

der **Imperativ** (Befehlsform)

das **Imperfekt** (Vergangenheitsform)

impfen, sie impft, die Impfung

imponieren, er imponiert ihr, imposant

imstande sein [im Stande sein]

in, in der Tasche

der **Indianer**, die Indianer

die **Industrie**, die Industrien

ineinander

die **Infektion**, die Infektionen, der Infekt

der **Infinitiv** (Grundform des Verbs), die Infinitive

infolge, infolgedessen

die **Information**, die Informationen, informieren

der **Ingenieur**, die Ingenieure

die **Inhaberin**, die Inhaber

der **Inhalt**, die Inhalte, das Inhaltsverzeichnis

die **Inlineskates** [Inliner]

inmitten

innen, innerhalb,
  innerlich

innig

ins (in das), ins Haus

der Insasse, die Insassen

insbesondere

das Insekt, die Insekten

die Insel, die Inseln

das Inserat, die Inserate,
  inserieren

insgesamt

insofern

die Inspektorin,
  die Inspektoren

der Installateur,
  die Installateure,
  die Installationen

instand [in Stand]
  setzen

der Instinkt, die Instinkte

das Institut, die Institute

das Instrument,
  die Instrumente

intelligent,
  die Intelligenz

intensiv

interessant,
  interessieren,
  das Interesse

das Internat, die Internate

international

das Internet

das Interview,
  die Interviews,
  interviewen

die Inuit (Eskimos)

der Invalide, die Invaliden

inzwischen

irgend, irgendein,
  irgendwann,
  irgendwo, irgendwie,
  irgendjemand

die Iris (Teil des Auges)

Irland, die Iren, irisch

die Ironie, ironisch

irren, sie irrt,
  der Irrtum, irrtümlich,
  irreführen, der Irre

der Islam, islamisch

Island, die Isländer,
  isländisch

Israel, die Israelis,
  israelisch

die Isolation, isolieren

er isst → *essen*

sie ist → *sein*, er ist nett

Italien, die Italiener,
  italienisch

J

Ja, Ja [ja] sagen,
jawohl

die **Jacht** [Yacht],
die Jachten

die **Jacke**, die Jacken
jagen, sie jagt,
die Jagd

die **Jägerin**, die Jäger

der **Jaguar**, die Jaguare
jäh, der Jähzorn

das **Jahr**, die Jahre,
jährlich, jahrelang,
zweijährig

der **Jahrmarkt**,
die Jahrmärkte

die **Jalousie**,
die Jalousien

der **Jammer**, jammern,
jämmerlich

der **Januar**
Japan, die Japaner,
japanisch
japsen, er japst
jäten, sie jätet

die **Jauche**,
die Jauchegrube

jauchzen, er jauchzt
jaulen, sie jault
jawohl

der **Jazz**, die Jazzmusiker,
jazzen
je, je Person

die **Jeans**, die Jeans
jede, jeder, jedes
jederzeit, jedenfalls,
jedes Mal
jedoch

der **Jeep** (Geländewagen),
die Jeeps
jeher, seit jeher
jemals
jemand, jemanden
jene, jener, jenes
jenseits
Jesus Christus

der **Jet** (Düsenflugzeug),
die Jets,
der Jumbojet
jetzt
jeweils

der **Job** (Arbeit), die Jobs,
jobben

das **Jod**
jodeln, er jodelt

das [der] **Joga** [Yoga]
joggen (langsam laufen)

sie joggt, das
Joggen, die Jogger

der [das] Joghurt [Jogurt],
die Joghurts

die Johannisbeere,
die Johannisbeeren

johlen, er johlt,
das Gejohle

das Jo-Jo [Yo-Yo],
die Jo-Jos

der Joker, die Joker

jonglieren,
sie jongliert

der Journalist,
die Journalisten

jubeln, er jubelt,
der Jubel, jubilieren

das Jubiläum,
die Jubiläen

jucken, sie juckt sich

das Judentum, die Juden,
jüdisch

das Judo

die Jugend,
die Jugendlichen,
jugendlich

der Juli

jung, jünger,
am jüngsten

der Junge, die Jungen

das Junge (Tierkind),
die Jungen

der Juni

der Junior, die Junioren,
die Juniorin,
die Juniorinnen

der Jupiter (Planet)

der Jurist, die Juristen

die Jury (Preisgericht)

das [der] Juwel,
die Juwelen

der Juwelier,
die Juweliere

der Jux (Spaß)

K

das Kabel, die Kabel

die Kabine, die Kabinen

die Kachel, die Kacheln,
kacheln

der Käfer, die Käfer

der Kaffee,
Vergleich: → Café

der Käfig, die Käfige
kahl

der Kahn, die Kähne

der **Kai** [Quai] (Ufermauer),
   die Kais
die **Kaiserin**, die Kaiser,
   der Kaiser, kaiserlich
der [das] **Kajak**,
   die Kajaks
die **Kajüte**, die Kajüten
der **Kakao**
der **Kaktus**, die Kakteen
das **Kalb**, die Kälber
der **Kalender**,
   die Kalender
der **Kalk**, kalken [kälken]
die **Kalorie**, die Kalorien
   kalt, kälter, am
   kältesten, die Kälte
das **Kamel**, die Kamele
die **Kamera**, die Kameras
der **Kamerad**,
   die Kameraden
die **Kamille**,
   der Kamillentee
der **Kamin**, die Kamine
der **Kamm**, die Kämme
   kämmen, er kämmt
die **Kammer**,
   die Kammern
der **Kampf**, die Kämpfe
   kämpfen, sie kämpft
   Kanada,

· die Kanadier,
   kanadisch
der **Kanal**, die Kanäle,
   die Kanalisation
der **Kanarienvogel**,
   die Kanarienvögel
der **Kandidat**,
   die Kandidaten
das **Känguru**,
   die Kängurus
das **Kaninchen**,
   die Kaninchen
der **Kanister**, die Kanister
die **Kanne**, die Kannen
der **Kanon**, die Kanons
die **Kanone**, die Kanonen
die **Kante**, die Kanten,
   kantig
die **Kantine**, die Kantinen
das **Kanu**, die Kanus
die **Kanzel**, die Kanzeln
die **Kanzlerin**, die
   Kanzler, der Kanzler
die **Kapelle**, die Kapellen
   kapieren, er kapiert
der **Kapitän**, die Kapitäne
das **Kapitel**, die Kapitel
der **Kaplan**, die Kapläne
die **Kappe**, die Kappen
die **Kapsel**, die Kapseln

A B C D E F G H I J K L M N O P Q R S T U V W X Y Z

kaputt, kaputt machen
die Kapuze, die Kapuzen
die Karambolage,
   die Karambolagen
das Karate
die Karawane,
   die Karawanen
der Kardinal,
   die Kardinäle
der Karfreitag,
   die Karfreitage
   karg, kärglich
   kariert, das Karo
die Karies, kariös
der Karneval (Fastnacht)
das Karnickel,
   die Karnickel
das Karo, die Karos
die Karosserie,
   die Karosserien
die Karotte, die Karotten
der Karpfen, die Karpfen
die Karre [der Karren],
   die Karren, karren
die Karriere,
   die Karrieren
die Karte, die Karten
die Kartei, die Karteien
die Kartoffel,
   die Kartoffeln

der Karton, die Kartons
das Karussell,
   die Karussells
   [Karusselle]
der Käse, die Käse
die Kaserne,
   die Kasernen
der Kasper, die Kasper,
   das Kasperletheater
die Kasse, die Kassen
die Kassette,
   die Kassetten
   kassieren, er kassiert
die Kastanie,
   die Kastanien
der Kasten, die Kästen
   [Kasten]
der Kat (Katalysator),
   die Kats
der Katalog, die Kataloge
die Katastrophe (Unglück),
   die Katastrophen,
   katastrophal
der Kater, die Kater
die Kathedrale,
   die Kathedralen
   katholisch [kath.],
   die Katholiken
die Katze, die Katzen
   kauen, sie kaut

A
B
C
D
E
F
G
H
I
J
K
L
M
N
O
P
Q
R
S
T
U
V
W
X
Y
Z

kauern, er kauert
kaufen, sie kauft,
   der Kauf, die Käufer,
   käuflich
die **Kaulquappe**,
   die Kaulquappen
kaum
der **Kauz**, die Käuze
keck
der **Kegel**, die Kegel,
   kegeln
die **Kehle**, die Kehlen
kehren, er kehrt
kehrtmachen
keifen, sie keift
der **Keil**, die Keile
die **Keilerei**,
   die Keilereien, keilen
der **Keim**, die Keime,
   keimen, der Keimling
kein, keine, keiner,
   keines [keins],
   keinmal, keinerlei
keinesfalls,
   keineswegs
der [das] **Keks**, die Keks
   [Kekse]
der **Kelch**, die Kelche
die **Kelle**, die Kellen
der **Keller**, die Keller

die **Kellnerin**, die Kellner,
   der Kellner
kennen, er kennt,
   ich kannte,
   sie hat gekannt,
   die Kenntnis,
   das Kennzeichen
kennenlernen
   [kennen lernen]
kentern, es kentert
die **Keramik**,
   die Keramiken
die **Kerbe**, die Kerben
der **Kerker**, die Kerker
der **Kerl**, die Kerle
der **Kern**, die Kerne,
   kernig
die **Kerze**, die Kerzen,
   kerzengerade
der **Kescher** [Käscher]
   (Fangnetz), die Kescher
der **Kessel**, die Kessel
das [der] **Ketchup**
   [Ketschup]
die **Kette**, die Ketten
keuchen, sie keucht
die **Keule**, die Keulen
das **Keyboard** (Instrument),
   die Keyboards
das **Kfz** (Kraftfahrzeug)

kichern, er kichert

das Kickboard,
die Kickboards

kicken, sie kickt

der Kidnapper,
die Kidnapper

kiebig (frech, zänkisch)

der Kiebitz, die Kiebitze,
kiebitzen

der Kiefer (Knochen),
die Kiefer

die Kiefer (Nadelbaum),
die Kiefern

Kiel (Hauptstadt von
Schleswig-Holstein)

die Kieme, die Kiemen

der Kies, die Kiese,
der Kiesel

Kiew (Hauptstadt
der Ukraine)

das Kilo, die Kilos,
das Kilogramm [kg]

der Kilometer [km],
die Kilometer

das Kind, die Kinder,
kindlich, die Kindheit

das Kinn, die Kinne

das Kino, die Kinos

der Kiosk, die Kioske

kippen, er kippt,

die Kippe

die Kirche (Gotteshaus),
die Kirchen

die Kirmes

die Kirsche, die Kirschen,
die Sauerkirsche

das Kissen, die Kissen

die Kiste, die Kisten

der Kitsch, kitschig

der Kitt, die Kitte, kitten

der Kittel, die Kittel

das Kitz, die Kitze

kitzeln, sie kitzelt,
kitzelig [kitzlig]

die Kiwi, die Kiwis

die Kladde, die Kladden

kläffen,
der Hund kläfft

klagen, sie klagt,
die Klage, kläglich

klamm

die Klammer,
die Klammern

klammern,
er klammert

die Klamotten

der Klang, die Klänge

die Klappe, die Klappen,
klappen, aufklappen,
klapprig

A
B
C
D
E
F
G
H
I
J
K
L
M
N
O
P
Q
R
S
T
U
V
W
X
Y
Z

klap|pern, sie klappert,
die Klapperschlange
der **Klaps**, die Klapse
klar, klären, erklären,
die Klarheit,
die Kläranlage
die **Kla|ri|net|te**,
die Klarinetten
die **Klas|se**, die Klassen,
die Klassenlehrerin,
das ist klasse
die **Klas|sik**, klassisch
der **Klatsch** (Geschwätz)
klat|schen, er klatscht
die **Klaue** (Kralle),
die Klauen
klau|en, sie klaut
das **Kla|vier**, die Klaviere
kle|ben, er klebt,
klebrig, der Kleber,
der Klebstoff
kle|ckern, sie kleckert
der **Klecks**, die Kleckse,
klecksen
der **Klee**, das Kleeblatt
das **Kleid**, die Kleider,
die Kleidung, kleiden
klein, kleinlich,
die Kleinigkeit,
das Kleingeld

der **Kleis|ter**, die Kleister
klem|men, es klemmt,
in der Klemme sein
der **Klemp|ner**,
die Klempner
die **Klet|te**, die Kletten
klet|tern, sie klettert
das **Kli|ma**, klimatisiert
der **Klimm|zug**,
die Klimmzüge
klim|pern, sie klimpert
die **Klin|ge**, die Klingen
die **Klin|gel**, die Klingeln,
klingeln
klin|gen, es klingt,
es klang, es hat
geklungen, der Klang
die **Kli|nik**, die Kliniken
die **Klin|ke**, die Klinken
die **Klip|pe**, die Klippen
klir|ren, es klirrt
klit|ze|klein
das **Klo**, die Klos,
das Klosett
klö|nen (plaudern),
sie klönt
klop|fen, es klopft
der **Klops**, die Klopse
der **Kloß**, die Klöße
das **Klos|ter**, die Klöster

der **Klotz**, die Klötze
der **Klub** [Club], die Klubs
klug, klüger, am
klügsten, die Klugheit
der **Klumpen**, die Klumpen
knabbern, er knabbert
der **Knabe**, die Knaben
das **Knäckebrot**,
die Knäckebrote
knacken, es knackt,
der Knacks
knallen, es knallt,
der Knall
knapp, die Knappheit
der **Knappe**, die Knappen
knarren, es knarrt
der **Knatsch** (Streit)
knattern, es knattert
der [das] **Knäuel**,
die Knäuel
knausern,
sie knausert,
knauserig [knausrig]
der **Knebel**, die Knebel,
knebeln
der **Knecht**, die Knechte
kneifen, sie kneift, ich
kniff, er hat gekniffen
die **Kneipe**, die Kneipen
kneten, sie knetet,

die **Knete**,
das Knetgummi
knicken, er knickt,
der Knick
der **Knicks**, die Knickse,
knicksen
das **Knie**, die Knie, knien
kniffelig [knifflig],
der Kniff
knipsen, sie knipst,
anknipsen
der **Knirps**, die Knirpse
knirschen, es knirscht
knistern, es knistert
knittern, es knittert,
knitterfrei
knobeln, er knobelt
der **Knoblauch**
der **Knöchel**, die Knöchel
der **Knochen**,
die Knochen, knochig
der **Knödel**, die Knödel
die **Knolle**, die Knollen
der **Knopf**, die Knöpfe,
knöpfen
der **Knorpel**, die Knorpel,
knorpelig [knorplig]
knorrig
die **Knospe**, die Knospen
der **Knoten**, die Knoten

knoten, sie knotet
knüllen, er knüllt,
   zerknüllen
knüpfen, sie knüpft
der Knüppel, die Knüppel
knurren, er knurrt
knusperig [knusprig],
   knuspern
k.o. (knock-out),
   k.o. schlagen
der Kobel, die Kobel
der Kobold, die Kobolde
die Kobra, die Kobras
kochen, sie kocht,
   der Koch, die Köche,
   kochend heiß
der Köder, die Köder
der Koffer, die Koffer
der Kohl, der Kohlrabi
die Kohle, die Kohlen
die Kohlenhydrate
   [Kohlehydrate]
die Koje, die Kojen
die Kokosnuss,
   die Kokosnüsse
der Koks, die Kokse,
   der Koksofen
der Kolben, die Kolben
die Kolik, die Koliken
die Kollegin, die Kollegen

die Kolonne,
   die Kolonnen
der Koloss, die Kolosse,
   kolossal
der Kombi, die Kombis
kombinieren,
   er kombiniert
der Komet, die Kometen
komfortabel,
   der Komfort
komisch, der Komiker
das Komma, die Kommas
   [Kommata]
kommandieren,
   sie kommandiert,
   das Kommando
kommen, er kommt,
   ich kam,
   sie ist gekommen
der Kommentar,
   die Kommentare,
   kommentieren
der Kommissar,
   die Kommissare
die Kommission,
   die Kommissionen
die Kommode,
   die Kommoden
die Kommunion,
   die Kommunionen

der **Kom|mu|nis|mus,**
die Kommunistin,
. kommunistisch
kom|mu|ni|zie|ren,
er kommuniziert,
die Kommunikation
die **Ko|mö|die,**
die Komödien
die **Kom|pa|nie,**
die Kompanien
der **Kom|pass,**
die Kompasse
kom|plett
das **Kom|pli|ment,**
die Komplimente
kom|pli|ziert
die **Kom|po|nis|tin,**
die Komponisten,
komponieren
der **Kom|post,**
die Komposte
das **Kom|pott,**
die Kompotte
der **Kom|pro|miss,**
die Kompromisse
die **Kon|dens|milch**
die **Kon|di|ti|on**
der **Kon|di|tor,**
die Konditoren,
die Konditorei

der [das] **Kon|dom,**
die Kondome
die **Kon|fe|renz,**
die Konferenzen
die **Kon|fes|si|on,**
die Konfessionen
das **Kon|fet|ti**
die **Kon|fir|ma|ti|on,**
der Konfirmand,
die Konfirmandin
die **Kon|fi|tü|re,**
die Konfitüren
der **Kon|flikt,** die Konflikte
die **Kö|ni|gin,** die Könige,
der König, königlich
die **Kon|kur|renz,**
die Konkurrenzen,
konkurrieren
kön|nen, sie kann,
ich konnte,
er hat gekonnt
der **Kon|rek|tor,**
die Konrektoren
die **Kon|ser|ve,**
die Konserven
der **Kon|so|nant** (Mitlaut),
die Konsonanten
kon|st|ru|ie|ren,
er konstruiert,
die Konstruktion

A
B
C
D
E
F
G
H
I
J
K
L
M
N
O
P
Q
R
S
T
U
V
W
X
Y
Z

119

A
B
C
D
E
F
G
H
I
J
K
L
M
N
O
P
Q
R
S
T
U
V
W
X
Y
Z

der **Konsum**, konsumieren
der **Kontakt**, die Kontakte
der **Kontinent**,
   die Kontinente
das **Konto**, die Konten
   kontra [contra] (gegen)
die **Kontrolle**,
   die Kontrollen,
   kontrollieren
die **Konzentration**,
   sich konzentrieren
das **Konzert**, die Konzerte
   Kopenhagen (Hauptstadt von Dänemark)
der **Kopf**, die Köpfe,
   kopflos
   kopieren, sie kopiert,
   die Kopie,
   der Kopierer
die **Koralle**, die Korallen
der **Koran**
der **Korb**, die Körbe
die **Kordel**, die Kordeln
der **Korken**, die Korken
das **Korn**, die Körner
der **Körper**, die Körper
   korrekt (richtig),
   die Korrektur
der **Korridor**, die Korridore
   korrigieren,

   er korrigiert
die **Kosmetik**, kosmetisch
der **Kosmos**, kosmisch,
   der Kosmonaut
die **Kost** (Nahrung),
   köstlich, kosten,
   er kostet
die **Kosten**, kostenlos,
   kostbar, kostspielig,
   kosten, es kostet
das **Kostüm**, die Kostüme,
   kostümieren
der **Kot**
das **Kotelett**, die Koteletts
der **Köter**, die Köter
der **Kotflügel**,
   die Kotflügel
   kotzen, sie kotzt
die **Krabbe**, die Krabben
   krabbeln, es krabbelt
der **Krach**, krachen
   krächzen, er krächzt,
   krächzend
die **Kraft**, die Kräfte,
   kräftig
der **Kragen**, die Kragen
   [Krägen]
die **Krähe**, die Krähen
   krähen, er kräht
   krakeelen,

sie krakeelt
die **Kralle**, die Krallen,
krallen
der **Kram**, kramen
der **Krampf**, die Krämpfe,
krampfhaft,
verkrampft
der **Kran**, die Kräne
der **Kranich**, die Kraniche
krank, die Kranke,
die Krankheit,
das Krankenhaus
kränken, sie kränkt
der **Kranz**, die Kränze
der **Krapfen**, die Krapfen
krass, krasser,
am krassesten
der **Krater**, die Krater
kratzen, er kratzt,
der Kratzer
kraulen, sie krault
kraus, krauses Haar,
kräuseln
das **Kraut**, die Kräuter,
das Unkraut
der **Krawall**, die Krawalle
die **Krawatte**,
die Krawatten
kraxeln, er kraxelt
kreativ, die Kreativität

der **Krebs**, die Krebse
der **Kredit**, die Kredite
die **Kreide**, die Kreiden,
kreidebleich
der **Kreis**, die Kreise,
kreisen, kreisrund
kreischen, sie kreischt
der **Kreisel**, die Kreisel
die **Krem** [Creme, Kreme],
die Krems,
einkremen
der **Krempel**
das **Krepppapier**
[Krepp-Papier]
das **Kreuz**, die Kreuze,
kreuzen,
die Kreuzigung
die **Kreuzung**,
die Kreuzungen
kribbeln, es kribbelt
kriechen, er kriecht,
es kroch,
sie ist gekrochen
der **Krieg**, die Kriege,
kriegerisch
kriegen, sie kriegt
der **Krimi**, die Krimis, die
Kriminalpolizei,
kriminell
der **Kringel**, die Kringel

die **Krippe**, die Krippen
die **Krise**, die Krisen
der **Kristall**, die Kristalle
die **Kritik**, die Kritiken,
	kritisch, kritisieren
	kritzeln, sie kritzelt,
	die Kritzelei
	Kroatien, die Kroaten,
	kroatisch
die **Krokette**,
	die Kroketten
das **Krokodil**,
	die Krokodile
der **Krokus**, die Krokusse
die **Krone**, die Kronen,
	krönen
	kross (knusprig)
die **Kröte**, die Kröten
die **Krücke**, die Krücken
der **Krug**, die Krüge
der **Krümel**, die Krümel,
	krümeln, die Krume
	krumm, die Krümmung
der **Krüppel**, die Krüppel
die **Kruste**, die Krusten
das **Kruzifix**, die Kruzifixe
der **Kübel**, die Kübel
die **Küche**, die Küchen
der **Kuchen**, die Kuchen
der **Kuckuck**,

	die Kuckucke
die **Kufe**, die Kufen
die **Kugel**, die Kugeln,
	kuglig [kugelig],
	der Kugelschreiber
die **Kuh**, die Kühe
	kühl, kühlen,
	die Kühlung,
	der Kühlschrank
die **Kuhle** (Grube),
	die Kuhlen
	kühn, die Kühnheit
das **Küken**, die Küken
der **Kuli** (Kugelschreiber),
	die Kulis
die **Kulisse**, die Kulissen
	kullern, es kullert
die **Kultur**, die Kulturen,
	kulturell
der **Kümmel**
der **Kummer**,
	sich kümmern
	kümmerlich
der **Kumpel**, die Kumpel
der **Kunde** (Käufer),
	die Kunden,
	die Kundschaft
die **Kunde** (Nachricht/
	Wissen), kundig
	kündigen, sie kündigt,

die Kündigung
künftig
die **Kunst**, die Künste,
die Künstler,
das Kunstwerk
künstlich,
der Kunststoff
kunterbunt
das **Kupfer**, kupfern
die **Kuppe**, die Kuppen,
Fingerkuppe
die **Kuppel**, die Kuppeln,
Kirchenkuppel
die **Kupplung**,
die Kupplungen,
kuppeln
die **Kur**, die Kuren,
der Kurort
die **Kurbel**, die Kurbeln,
kurbeln
der **Kürbis**, die Kürbisse
der **Kurier**, die Kuriere
kurios (seltsam)
der **Kurs**, die Kurse
die **Kurve**, die Kurven,
kurvig, kurven
kurz, kürzer, am
kürzesten, die Kürze,
die Kürzung, kürzlich,
in Kürze, kurzsichtig

kuscheln, er kuschelt
die **Kusine** [Cousine],
die Kusinen
der **Kuss**, die Küsse,
küssen
die **Küste**, die Küsten
die **Küsterin** (Kirchen-
dienerin), der Küster
die **Kutsche**,
die Kutschen,
kutschieren
der **Kutter**, die Kutter
das **Kuvert** (Briefumschlag),
die Kuverts

L

das **Labor**, die Labors
[Labore], das
Laboratorium
das **Labyrinth**,
die Labyrinthe
lachen, sie lacht, das
Lachen, lachhaft,
lächeln, lächerlich
der **Lachs**, die Lachse

der **Lack**, die Lacke,
lackieren,
die Lackierung
laden, er lädt, ich lud,
sie hat geladen,
die Ladung
der **Laden** (Geschäft),
die Läden [Laden]
die **Lage**, die Lagen
das **Lager**, die Lager,
lagern
lahm, gelähmt,
die Lähmung
der **Laib**, die Laibe,
ein Laib Brot,
Vergleich: → Leib
Laibach (Hauptstadt von
Slowenien)
der **Laich**, laichen,
der Froschlaich
der **Laie**, die Laien
das **Laken**, die Laken
die **Lakritze** [der [das]
Lakritz], die Lakritzen
[Lakritze]
lallen, sie lallt
das **Lama**, die Lamas
das **Lametta**
das **Lamm**, die Lämmer
die **Lampe**, die Lampen

der [das] **Lampion**,
die Lampions
das **Land**, die Länder,
ländlich,
die Landschaft,
die Landwirtschaft
landen, er landet,
die Landung
lang, länger, am
längsten, die Länge,
länglich, langärmelig
die **Langeweile**,
langweilig
langsam,
die Langsamkeit
längst (schon lange)
die **Lanze**, die Lanzen
der **Lappen**, die Lappen
läppisch
der [das] **Laptop**,
die Laptops
die **Lärche** (Nadelbaum),
die Lärchen,
Vergleich: → Lerche
der **Lärm**, lärmen
die **Larve**, die Larven
die **Lasche**, die Laschen
der **Laser**, die Laser
lassen, sie lässt, ich
ließ, er hat gelassen,

lass!

lässig

das [der] **Lasso**,
   die Lassos

die **Last**, die Lasten

der **Laster** (Lastwagen),
   die Laster

das **Laster** (Untugend),
   die Laster

lästern, er lästert

lästig, belästigen

der **Lastwagen**,
   die Lastwagen

das **Latein**, lateinisch

die **Laterne**, die Laternen

latschen, sie latscht,
   die Latschen

die **Latte**, die Latten

der **Latz**, die Lätze,
   das Lätzchen

lau, lauwarm

das **Laub**, der Laubbaum

die **Laube**, die Lauben

der **Lauch**,
   die Lauchzwiebel

lauern, er lauert,
   auf der Lauer

laufen, sie läuft, ich
   lief, er ist gelaufen,
   der Lauf, die Läufer

laufend

die **Lauge**, die Laugen

die **Laune**, die Launen,
   launisch

die **Laus**, die Läuse

lauschen, er lauscht

laut, der Laut, lautlos

läuten, es läutet,
   das laute Geläute

lauter (nichts als),
   lauter Tiere

die **Lava**,
   das Lavagestein

die **Lawine**, die Lawinen

lax (schlaff)

das **Lazarett**,
   die Lazarette

das **Leben**, leben, lebhaft,
   lebendig, leblos,
   die Lebensmittel,
   das Lebewesen

die **Leber**, der Lebertran

der **Lebkuchen**,
   die Lebkuchen

lechzen, sie lechzt

leck (undicht), das Leck

lecken, er leckt

lecker, die Leckereien

das **Leder**, ledern

ledig (unverheiratet)

A
B
C
D
E
F
G
H
I
J
K
L
M
N
O
P
Q
R
S
T
U
V
W
X
Y
Z

A
B
C
D
E
F
G
H
I
J
K
L
M
N
O
P
Q
R
S
T
U
V
W
X
Y
Z

lediglich

leer, die Leere, leeren,
der Leerlauf

die **Legasthenie**

legen, sie legt

die **Legende**,
die Legenden

die **Leggings** [Leggins]

der **Lehm**, lehmig

die **Lehne**, die Lehnen,
lehnen

der **Lehrer**, die Lehrer,
die Lehrerin,
die Lehrerinnen,
lehren, die Lehre,
der Lehrling

der **Leib** (Körper),
die Leiber,
Vergleich: → Laib

die **Leiche**, die Leichen,
der Leichnam

leicht, die Leichtigkeit,
der Leichtsinn,
leichtsinnig,
leichtfertig

die **Leichtathletik**

leiden, sie leidet,
ich litt, er hat gelitten,
das Leid [Leiden]

die **Leidenschaft**,

die Leidenschaften,
leidenschaftlich

leider

leidtun, es tut mir leid

leiern, er leiert

leihen, er leiht, ich
lieh, sie hat geliehen

der **Leim**, leimen

die **Leine**, die Leinen

das **Leinen**,
das Leinentuch

die **Leinwand**,
die Leinwände

leise

die **Leiste**, die Leisten

leisten, sie leistet,
die Leistung

leiten, er leitet, die
Leiterin, die Leitung

die **Leiter**, die Leitern

die **Lektion**, die Lektionen

die **Lektüre**, die Lektüren

lenken, sie lenkt, der
Lenker, das Lenkrad,
die Lenkung

der **Lenz** (Frühling)

der **Leopard**,
die Leoparden

die **Lerche** (Vogel),
die Lerchen,

Vergleich: → Lärche
lernen, sie lernt
lesen, er liest, ich las,
sie hat gelesen,
die Leserin,
leserlich, die Lesung
Lettland, die Letten,
lettisch
letzte, das letzte Mal,
zuletzt, letztens,
der [die, das] Letzte
leuchten, es leuchtet,
der Leuchter,
leuchtend
leugnen, sie leugnet
die **Leukämie** (Krankheit),
die Leukämien
die **Leute**, leutselig
der **Leutnant**,
die Leutnants
[Leutnante]
die **Leviten**, jemandem
die Leviten lesen
das **Lexikon**, die Lexika
[Lexiken]
die **Libelle**, die Libellen
das **Licht**, die Lichter,
lichterloh,
die Lichtung
das **Lid** (Augendeckel),

die Lider,
Vergleich: → Lied
die **Liebe**, der Liebling,
die Liebhaberei
lieben, er liebt, lieb,
liebevoll, lieblich,
liebenswürdig
lieber
Liechtenstein,
die Liechtensteiner
das **Lied**, die Lieder,
Volkslied,
Vergleich: → Lid
liederlich
liefern, sie liefert,
die Lieferung
liegen, er liegt,
es lag, sie hat
gelegen, die Liege,
der Liegestütz
der **Lift**, die Lifte [Lifts]
die **Liga**, die Ligen,
die Bundesliga
der **Likör**, die Liköre
lila, lilafarbig
die **Lilie**, die Lilien
der **Liliputaner**,
die Liliputaner
die **Limonade**,
die Limonaden

die **Linde**, die Linden
lindern, die Linderung
das **Lineal**, die Lineale
die **Linie**, die Linien,
liniert [liniiert],
linieren [liniieren]
links, linkshändig, das
linke Ohr, linksherum
das **Linoleum**
die **Linse**, die Linsen
die **Lippe**, die Lippen
lispeln, sie lispelt
Lissabon (Hauptstadt
von Portugal)
die **List**, die Listen, listig
die **Liste**, die Listen
Litauen, litauisch
der [das] **Liter** [l], die Liter,
literweise
die **Literatur**
die **Litfaßsäule**,
die Litfaßsäulen
live (direkt übertragen),
die Livesendung
der **Lkw** [LKW] (Lastkraftwa-
gen), die Lkws [Lkw]
loben, er lobt, das Lob
das **Loch**, die Löcher,
lochen, löcherig
[löchrig]

die **Locke**, die Locken,
lockig
locken, sie lockt
locker, lockern
der **Lodenmantel**,
die Lodenmäntel
lodern, das Feuer
lodert
der **Löffel**, die Löffel,
löffeln, löffelweise
die **Loge** (Theaterraum),
die Logen
die **Logik**, logisch
das **Log-in** (Einloggen mit dem
Computer), die Log-ins
der **Lohn**, die Löhne,
lohnen
die **Loipe** (Langlaufspur),
die Loipen
lokal (örtlich)
das **Lokal**, die Lokale
die **Lokomotive** [Lok],
die Lokomotiven
der **Lolli**, die Lollis
London (Hauptstadt von
Großbritannien)
der **Lorbeer**,
die Lorbeeren
die **Lore**, die Loren
los, losfahren,

losgehen, loslassen,
loslaufen, losreißen,
loswerden
das **Los**, die Lose, losen,
verlosen
löschen, er löscht
lose, der lose Deckel
lösen, sie löst,
die Lösung, lösbar,
löslich
das **Lot**, die Lote
löten, er lötet
die **Lotion**, die Lotionen,
die Körperlotion
der **Lotse**, die Lotsen,
lotsen
die **Lotterie**,
die Lotterien
das **Lotto**, der Lottogewinn
der **Löwe**, die Löwen
der **Löwenzahn**
der **Luchs** (Raubtier),
die Luchse
die **Lücke**, die Lücken,
lückenlos, lückenhaft
das **Luder**, die Luder
die **Luft**, die Lüfte, luftig,
der Luftballon,
luftdicht
lüften, er lüftet,

die **Lüftung**
lügen, sie lügt, ich log,
er hat gelogen,
die Lüge, die Lügner
die **Luke**, die Luken,
die Dachluke
der **Lümmel**, die Lümmel,
sich lümmeln
der **Lump** (schlechter
Mensch), die Lumpen
der **Lumpen** (Lappen,
Fetzen), die Lumpen,
lumpig, zerlumpt
das **Lunchpaket**
die **Lunge**, die Lungen
lungern, er lungert
die **Lupe**, die Lupen,
lupenrein
lüpfen [lupfen],
sie lüpft
der **Lurch**, die Lurche
die **Lust**, die Lüste, lustlos
lustig
lutschen, er lutscht,
der Lutscher
Luxemburg,
die Luxemburger,
luxemburgisch
der **Luxus**, luxuriös
die **Lyrik** (Dichtung), lyrisch

A
B
C
D
E
F
G
H
I
J
K
L
M
N
O
P
Q
R
S
T
U
V
W
X
Y
Z

M

machen, sie macht,
  die Abmachung
die **Macht**, die Mächte,
  mächtig
die **Macke**, die Macken
das **Mädchen**,
  die Mädchen
die **Made**, die Maden,
  madig
die **Madonna**,
  die Madonnen
  Madrid (Hauptstadt
  von Spanien)
die **Magd**, die Mägde
  Magdeburg
der **Magen**, die Mägen
  [Magen]
  mager
der **Magier**, die Magier,
  magisch
das **Magma**
der **Magnet**, die Magnete
  [Magneten],
  magnetisch
  mähen, er mäht,
  der Rasenmäher

das **Mahl**, die Mähler
  [Mahle], die Mahlzeit,
  Vergleich: → Mal
  mahlen,
  sie mahlt Kaffee,
  Vergleich: → malen
die **Mähne**, die Mähnen
  mahnen, er mahnt,
  die Mahnung,
  ermahnen
der **Mai**, der Maibaum,
  das Maiglöckchen
die **Mailbox**,
  die Mailboxen
der **Main** (Fluss)
  Mainz
der **Mais**, das Maisfeld
die **Majestät**,
  majestätisch
der **Major**, die Majore
der **Makel**, die Makel
das **Make-up** (Kosmetik)
die **Makkaroni**
die **Maklerin**, die Makler
  mal, einmal, keinmal,
  malnehmen,
  komm mal!
das **Mal**, die Male, das
  erste Mal, jedes Mal,
  Vergleich: → Mahl

malen, er malt, die
Maler, die Malerei,
malerisch,
Vergleich: → mahlen

Malta, die Malteser,
maltesisch

das Malz, das Malzbier

die Mama, die Mamas,
Mami

das Mammut,
die Mammuts
[Mammute]

man, man sieht Tiere,
Vergleich: → Mann

der Manager,
die Manager

manch, manche,
mancher, manches

mancherlei

manchmal

die Mandarine,
die Mandarinen

die Mandel, die Mandeln

die Manege,
die Manegen,
die Zirkusmanege

die Mangel (Maschine zum
Glätten von Wäsche),
die Mangeln,
mangeln

der Mangel (Fehler),
die Mängel,
mangelhaft

die Manieren
(Umgangsformen)

der Mann, die Männer,
männlich,
Vergleich: → man

die Mannschaft,
die Mannschaften

der Mantel, die Mäntel

die Mappe, die Mappen

das Märchen, die Märchen

der Marder, die Marder

die Margarine

die Margerite (Blume),
die Margeriten

der Marienkäfer,
die Marienkäfer

die Marine, marineblau

die Marionette,
die Marionetten

die Mark (Geld)

das Mark,
das Knochenmark

die Marke, die Marken,
die Briefmarke

markieren,
sie markiert

die Markise, die Markisen

der **Markt**, die Märkte
die **Marmelade**,
    die Marmeladen
der **Marmor**,
    der Marmorstein
der **Mars** (Planet)
der **Marsch**, die Märsche,
    marschieren
der **Marterpfahl**,
    die Marterpfähle,
    martern
der **März**
das [der] **Marzipan**,
    die Marzipane
die **Masche**, die Maschen
die **Maschine**,
    die Maschinen,
    maschinell
die **Masern** (Kinderkrankheit)
die **Maske**, die Masken,
    maskieren
das **Maskottchen**,
    die Maskottchen
das **Maß**, die Maße,
    das Maßband
die **Masse**, die Massen,
    massig, massenhaft
massieren,
    er massiert,
    die Massage

mäßig, mäßigen
massiv
die **Maßnahme**,
    die Maßnahmen
der **Maßstab**,
    die Maßstäbe
der **Mast**, die Masten
    [Maste],
    der Schiffsmast
die **Mast** (Mästung von
    Tieren), die Masten,
    mästen
das **Match** (Wettkampf/Spiel),
    die Matchs [Matche]
das **Material**,
    die Materialien
die **Mathematik**,
    mathematisch
die **Matratze**,
    die Matratzen
der **Matrose**,
    die Matrosen
der **Matsch**, matschig
    matt, die Mattigkeit
die **Matte**, die Matten
die **Mauer**, die Mauern,
    mauern
das **Maul**, die Mäuler,
    maulen
der **Maulwurf**,

die Maulwürfe
der **Maurer**, die Maurer
die **Maus**, die Mäuse
maximal
die **Mayonnaise**
[Majonäse],
die Mayonnaisen
Mazedonien,
die Mazedonier,
mazedonisch
die **Mechanikerin**,
die Mechaniker,
mechanisch
meckern, sie meckert
Mecklenburg-
Vorpommern
die **Medaille**,
die Medaillen
die **Medien**
das **Medikament**,
die Medikamente
die **Medizin**,
die Mediziner,
medizinisch
das **Meer**, die Meere,
Vergleich: → mehr
der **Meerrettich**,
die Meerrettiche
das **Meerschweinchen**,
die Meerschweinchen

das **Mehl**, mehlig
mehr, mehrere,
mehrmals,
die Mehrheit,
die Mehrzahl,
Vergleich: → Meer
meiden, er meidet,
ich mied,
sie hat gemieden
die **Meile**, die Meilen,
meilenweit
mein, meine, meiner,
meines
meinen, er meint,
die Meinung
meinetwegen
die **Meise**, die Meisen
der **Meißel**, die Meißel,
meißeln
meist, meistens,
am meisten
der **Meister**, die Meister,
die Meisterschaft,
meistern, meisterhaft
melden, sie meldet,
die Meldung
melken, er melkt,
die Molkerei
die **Melodie**, die Melodien
die **Melone**, die Melonen

A
B
C
D
E
F
G
H
I
J
K
L
M
N
O
P
Q
R
S
T
U
V
W
X
Y
Z

das **Me**|**mo**|ry, die Memorys
die **Men**|ge, die Mengen
der **Mensch**,
   die Menschen,
   menschlich,
   die Menschheit
das **Me**|nü, die Menüs
   mer|ken, sie merkt
das **Merk**|mal,
   die Merkmale,
   merk|wür|dig
die **Mes**|se, die Messen
   mes|sen, er misst,
   ich maß,
   sie hat gemessen
das **Mes**|ser, die Messer
das **Mes**|sing
das **Me**|tall, die Metalle,
   metallisch
der [das] **Me**|te|or,
   die Meteore
die **Me**|te|o|ro|lo|gie,
   die Meteorologen
der [das] **Me**|ter [m], die
   Meter, meterhoch,
   meterlang
die **Me**|tho|de,
   die Methoden
das **Mett**, die Mettwurst
die **Metz**|ge|rin,

die Metzger,
   die Metzgerei
   meu|tern, sie meutert,
   die Meuterei
   mi|au|en, der Kater
   miaut
   mich, ich mag mich
die **Mi**|cky|maus
der **Mief**, miefig
die **Mie**|ne (Gesichtsaus-
   druck), die Mienen,
   Vergleich: → Mine
   mies, miese Laune
die **Mie**|te, die Mieten,
   die Mieter, mieten
das **Mi**|kro|fon [Mikrophon],
   die Mikrofone
das **Mi**|kro|skop,
   die Mikroskope,
   mikroskopieren
die **Mi**|kro|wel|le
die **Milch**, milchig
   mild [milde], die Milde,
   mildern
das **Mi**|li|eu, die Milieus
das **Mi**|li|tär, militärisch
die **Mil**|li|ar|de [Md./Mrd.],
   die Milliarden,
   die Milliardäre
das **Mil**|li|gramm [mg],

50 Milligramm
der [das] **Milliliter** [ml],
40 Milliliter
der [das] **Millimeter** [mm],
60 Millimeter
die **Million** [Mill./Mio.],
die Millionen,
die Millionäre
die **Milz**
minder, minderjährig,
die Minderheit,
minderwertig
mindestens
die **Mine** (Stiftmine, Berg-
werk, Sprengkörper),
die Minen,
Vergleich: → Miene
das **Mineral**, die
Minerale [Mineralien]
mini, minimal,
das Minigolf
der **Minister**, die Minister,
die Ministerin
die **Ministrantin**,
die Ministranten
Minsk (Hauptstadt
von Weißrussland)
minus,
das Minuszeichen
die **Minute**,

5 Minuten [5 min]
mir, sie schenkt mir
mischen, sie mischt,
die Mischung
miserabel (schlecht)
missachten → achten,
die Missachtung
der **Missbrauch**,
die Missbräuche,
missbrauchen
der **Misserfolg**,
die Misserfolge
das **Missgeschick**,
die Missgeschicke
die **Misshandlung**,
die Misshandlungen,
misshandeln
die **Mission**,
die Missionen
der **Missionar**,
die Missionare
missmutig
das **Misstrauen**,
misstrauisch,
misstrauen
das **Missverständnis**, die
Missverständnisse,
missverstehen
der **Mist**, der Misthaufen
mit, sie kommt mit

A
B
C
D
E
F
G
H
I
J
K
L
M
N
O
P
Q
R
S
T
U
V
W
X
Y
Z

der **Mit**arbeiter,
  die Mitarbeiter,
  mitarbeiten
  mitbringen → *bringen*
  miteinander
  mitfahren → *fahren*
  mitfühlen → fühlen,
  das Mitgefühl
  mitgehen → *gehen*
das **Mit**glied,
  die Mitglieder
  mithelfen → *helfen*,
  die Mithilfe
  mitkommen
  → *kommen*
der **Mit**laut, die Mitlaute
das **Mit**leid, mitleidig
der **Mit**mensch,
  die Mitmenschen
  mitnehmen
  → *nehmen*
die **Mit**schülerin,
  die Mitschüler
der **Mit**tag, die Mittage,
  mittags, heute Mittag,
  am Mittag
die **Mit**te, die Mitten,
  mittlere, mitten,
  mittendrin,
  mittendurch

die **Mit**teilung,
  die Mitteilungen,
  mitteilen
das **Mit**tel, die Mittel
das **Mit**telalter,
  mittelalterlich
das **Mit**telmaß,
  mittelmäßig
das **Mit**telmeer
der **Mit**telpunkt,
  die Mittelpunkte
die **Mit**ternacht
  mittlerweile
der **Mitt**woch,
  die Mittwoche,
  mittwochs,
  der Mittwochabend
  mitunter
  mixen, er mixt,
  der Mixer
das **Mö**bel, die Möbel,
  möblieren
die **Mo**de, die Moden,
  modern, modisch
das **Mo**dell, die Modelle,
  modellieren
der **Mo**der, modern (faulen)
das **Mo**fa, die Mofas
  mogeln, sie mogelt,
  die Mogelei

mögen, er mag, ich
mochte, sie hat
gemocht, ich möchte
möglich,
die Möglichkeit
möglichst

der Mohn

die Möhre, die Möhren,
die Mohrrübe

der Molch, die Molche

Moldawien
[Republik Moldau],
die Moldauer,
moldauisch

die Mole, die Molen

die Molkerei,
die Molkereien

mollig

der Moment, die
Momente, momentan

Monaco,
die Monegassen,
monegassisch

der Monat, die Monate,
monatlich

der Mönch, die Mönche

der Mond, die Monde

die Moneten (Geld)

der Monitor, die Monitore

das Monster, die Monster

der Montag, die Montage,
montags,
der Montagmorgen

Montenegro,
die Montenegriner,
montenegrinisch

der Monteur, die
Monteure, montieren,
die Montage

das Moor, die Moore,
moorig

das Moos, die Moose,
moosig

das Moped, die Mopeds

der Mops, die Möpse

die Moral, moralisch

der Morast, morastig

der Mord, die Morde,
morden, die Mörder

morgen, morgens,
bis morgen,
morgen früh

der Morgen, die Morgen,
am Morgen,
heute Morgen,
guten Morgen

morsch

morsen, sie morst,
das Morsealphabet

der Mörtel

A
B
C
D
E
F
G
H
I
J
K
L
M
N
O
P
Q
R
S
T
U
V
W
X
Y
Z

das **Mosaik**, die Mosaiken
[Mosaike]

die **Moschee**,
die Moscheen

die **Mosel** (Fluss)
Moskau (Hauptstadt
von Russland)

der **Moslem** → Muslim

der **Most**, die Moste,
mosten

das **Motiv**, die Motive

der **Motor**, die Motoren

das **Motorrad**,
die Motorräder

die **Motte**, die Motten

das **Motto**, die Mottos

motzen, sie motzt

das **Mountainbike**
(Geländefahrrad),
die Mountainbikes

die **Möwe**, die Möwen

die **Mücke**, die Mücken

mucksmäuschenstill

müde, die Müdigkeit

die **Mühe**, die Mühen,
mühsam

die **Mühle**, die Mühlen

die **Mulde**, die Mulden

der **Müll**, die Müllabfuhr,
die Mülldeponie

die **Mullbinde**,
die Mullbinden

der **Müller**, die Müller

multiplizieren,
er multipliziert,
die Multiplikation

die **Mumie**, die Mumien

der [die] **Mumps** (Krankheit)

München

der **Mund**, die Münder,
mündlich

die **Mundharmonika**,
die Mundharmonikas

die **Mündung**,
die Mündungen,
münden

die **Munition**,
die Munitionen

munkeln, er munkelt

munter, die Munterkeit

die **Münze**, die Münzen

mürbe [mürb]

die **Murmel**, die Murmeln

murmeln, er murmelt

das **Murmeltier**,
die Murmeltiere

murren, sie murrt,
mürrisch

das [der] **Mus**,
das Apfelmus

die **Mu**schel,
    die Muscheln
das **Mu**se**um**, die Museen
das **Mu**si**cal**, die Musicals
die **Mu**sik, musizieren, die
    Musiker, musikalisch
der **Mus**kel, die Muskeln,
    muskulös
das **Müs**li
der **Mus**lim [Moslem]
    (Anhänger des Islams),
    die Muslime
    [Muslims], die
    Muslimin [Muslima],
    muslimisch
die **Mu**ße, müßig
    müssen, er muss,
    ich musste,
    sie hat gemusst
das **Mus**ter, die Muster,
    mustern
der **Mut**, mutig, mutlos,
    mutwillig
die **Mut**ter (Schraubenteil),
    die Muttern
die **Mut**ter, die Mütter,
    mütterlich
die **Müt**ze, die Mützen
die **Myr**rhe [Myrre]
    (aromatisches Harz)

N

die **Na**be (vom Rad),
    die Naben
der **Na**bel, die Nabel
    nach, nach Hause
    [nachhause]
    nachahmen,
    er ahmt sie nach
die **Nach**barin,
    die Nachbarn,
    die Nachbarschaft
    nachdem, je nachdem
    nachdenken
    → *denken*,
    nachdenklich
    nacheinander
die **Nach**erzählung,
    die Nacherzählungen
der **Nach**folger,
    die Nachfolger
    nachgeben → *geben*,
    nachgiebig
    nachher,
    im Nachhinein
die **Nach**hilfe
der **Nach**komme,
    die Nachkommen

nachlässig,
die Nachlässigkeit
der Nachmittag,
die Nachmittage,
nachmittags
der Nachname,
die Nachnamen
die Nachricht,
die Nachrichten
nachschlagen
→ *schlagen*
der Nachschub,
Nachschübe
die Nachsicht,
nachsichtig,
nachsehen
die Nachspeise,
die Nachspeisen
nächst, nächster,
am nächsten,
der nächste Tag,
der Nächste,
nächstens
die Nacht, die Nächte,
heute Nacht, nachts,
nächtlich
der Nachteil, die
Nachteile, nachteilig
die Nachtigall,
die Nachtigallen

der Nachtisch,
die Nachtische
der Nachtrag,
die Nachträge,
nachträglich
nachtragend
der Nachttisch,
die Nachttische
nachweisen
→ *weisen*,
der Nachweis,
nachweislich
der Nachwuchs
die Nachzüglerin,
die Nachzügler
der Nacken, die Nacken
nackt [nackend]
die Nadel, die Nadeln,
nadeln
der Nagel, die Nägel,
nageln
nagen, er nagt,
das Nagetier
nahe [nah], näher, am
nächsten, die Nähe,
sich nähern, nahezu
nähen, sie näht
die Nahrung, nähren,
die Nahrungsmittel,
nahrhaft, ernähren

die **Naht**, die Nähte
naiv, die Naivität
der **Name** [Namen],
die Namen
nämlich
der **Napf**, die Näpfe
die **Narbe**, die Narben
die **Narkose**,
die Narkosen
der **Narr**, die Narren,
närrisch
die **Narzisse**,
die Narzissen
naschen, er nascht
die **Nase**, die Nasen,
das Näschen,
das Nashorn
naseweis
nass, nasser [nässer],
am nassesten
[nässesten], nass
machen, die Nässe
die **Nation**, die Nationen
national, die
Nationalmannschaft
die **Natter**, die Nattern
die **Natur**, natürlich
der **Nebel**, die Nebel,
neblig [nebelig]
neben, nebenher,

nebst, nebenan,
nebeneinander
die **Nebensache**,
die Nebensachen,
nebensächlich
der **Neckar** (Fluss)
necken, sie neckt
der **Neffe**, die Neffen
negativ (verneinend)
das **Negativ** (vom Film),
die Negative
nehmen, er nimmt,
ich nahm, sie hat
genommen, nimm!
der **Neid**, neidisch, neiden
neigen, sie neigt,
die Neigung
nein, Nein [nein] sagen
der **Nektar** (Blütensaft)
die **Nektarine**,
die Nektarinen
die **Nelke**, die Nelken
nennen, er nennt,
ich nannte,
sie hat genannt
das **Neon**, das Neonlicht
der **Neptun** (Planet)
der **Nerv**, die Nerven,
nervig
nervös, die Nervosität

die **Nessel**, die Nesseln
das **Nest**, die Nester
nett, netter,
am nettesten,
die Nettigkeit
netto, der Nettopreis
das **Netz**, die Netze
neu, etwas Neues,
die Neuigkeit,
neuerdings
die **Neugier** [Neugierde],
neugierig
das **Neujahr**
neulich
neun, neunzehn,
neunzig, neunmal,
neun Uhr, die Neun,
der Neuner
neutral, die Neutralität
nicht,
der Nichtschwimmer
die **Nichte**, die Nichten
nichts, gar nichts
nicken, sie nickt
nie, nie mehr,
nie wieder
nieder,
die Niederlage,
niedergeschlagen
die **Niederlande**,

die Niederländer,
niederländisch
Niedersachsen,
die Niedersachsen,
niedersächsisch
der **Niederschlag**,
die Niederschläge
die **Niedertracht**,
niederträchtig
niedlich
niedrig, die Niederung
niemals
niemand, niemanden
die **Niere**, die Nieren
nieseln, es nieselt,
der Nieselregen
niesen, er niest
die **Niete**, die Nieten
der **Nikolaus**,
die Nikolause
das **Nikotin**
das **Nilpferd**, die Nilpferde
nimmer (nicht mehr)
nippen, sie nippt
nirgends, nirgendwo
die **Nische**, die Nischen
nisten, er nistet
das **Niveau**, die Niveaus
die **Nixe**, die Nixen
nobel (edel)

noch, noch einmal,
nochmals
der **Nomade**,
die Nomaden
das **Nomen** (Namenwort),
die Nomen [Nomina]
der **Nominativ** (1. Fall,
Wer- oder was-Fall)
die **Nonne**, die Nonnen
der **Nonsens** (Unsinn)
nonstop (ohne Pause)
der **Norden**, nördlich,
der Nordpol
Nordrhein-Westfalen,
die Nordrhein-
Westfalen,
nordrhein-westfälisch
die **Nordsee**
nörgeln, sie nörgelt,
die Nörgelei
normal, die Normalität
Norwegen,
die Norweger,
norwegisch
die **Not**, die Nöte,
der Notruf
die **Note**, die Noten
notieren, er notiert
nötig, die Nötigung
die **Notiz**, die Notizen

notwendig,
die Notwendigkeit
der **November**
im **Nu** (sehr schnell)
nüchtern
nuckeln, sie nuckelt,
der Nuckel
die **Nudel**, die Nudeln
der [das] **Nugat** [Nougat]
null, null Grad,
die Null, die Nullen
die **Nummer**,
die Nummern,
nummerieren,
die Nummerierung
nun, von nun an,
nunmehr
nur
nuscheln, er nuschelt
die **Nuss**, die Nüsse
die **Nüster**, die Nüstern
der **Nutzen**
nützen [nutzen],
sie nützt [nutzt]
nützlich
das **Nylon**,
der Nylonstrumpf

A
B
C
D
E
F
G
H
I
J
K
L
M
N
O
P
Q
R
S
T
U
V
W
X
Y
Z

O

die **Oase**, die Oasen
ob, obgleich
die **Obacht**,
    Obacht geben
obdachlos
O-Beine, o-beinig
oben, obere, oberhalb
der **Ober** (Kellner), die Ober
die **Oberfläche**,
    die Oberflächen,
    oberflächlich
das **Oberhaupt**,
    die Oberhäupter
obgleich
das **Objekt**, die Objekte
die **Oblate**, die Oblaten
die **Oboe**, die Oboen
das **Obst**
obwohl
der **Ochse** [Ochs],
    die Ochsen
ocker, ockerfarbig
öd [öde]
oder
die **Oder** (Fluss)
der **Ofen**, die Öfen

offen, offensichtlich,
    die Offenheit
öffentlich,
    die Öffentlichkeit
offiziell
der **Offizier**, die Offiziere
öffnen, er öffnet,
    die Öffnung
oft, öfter, öfters,
    oftmals
ohne, ohne Weiteres,
    ohnedies
die **Ohnmacht**,
    die Ohnmachten,
    ohnmächtig
das **Ohr**, die Ohren,
    der Ohrring,
    ohrenbetäubend
    okay [o.k. oder O.K.]
die **Ökologie**, ökologisch
der **Oktober**
das **Öl**, die Öle, ölen, ölig
die **Olive**, die Oliven
die **Olympiade**,
    die Olympiaden,
    die Olympischen
    Spiele, olympisch
die **Oma**, die Omas, Omi
das **Omelett**, die Omelette
    [Omeletts]

der **Om**nibus,
 die Omnibusse
der **On**kel, die Onkel
online (Computerbegriff)
der **Opa**, die Opas, Opi
Open-Air-Konzert
die **Oper**, die Opern
die **Ope**ration,
 die Operationen,
 operieren
die **Ope**rette,
 die Operetten
das **Op**fer, die Opfer,
 opfern
die **Op**tik, die Optikerin
optimal (bestmöglich)
der **Op**timismus,
 der Optimist,
 optimistisch
orange (Farbe)
die **Oran**ge, die Orangen
der **Orang-Utan** (Menschen-
 affe), die Orang-Utans
das **Or**chester,
 die Orchester
der **Or**den, die Orden
ordentlich
ordnen, sie ordnet,
 die Ordnung
der **Ord**ner, die Ordner

das **Or**gan, die Organe
die **Or**ganisation,
 die Organisationen,
 organisieren
die **Or**gel, die Orgeln,
 der Organist
der **Ori**ent, orientalisch
sich **ori**entieren,
 er orientiert sich,
 die Orientierung
das **Ori**ginal, die
 Originale, originell
der **Or**kan (starker Sturm),
 die Orkane
der **Ort**, die Orte,
 die Ortschaft, örtlich
die **Or**thografie
 [Orthographie]
 (Rechtschreibung)
die **Öse**, die Ösen
Oslo (Hauptstadt
 von Norwegen)
der **Os**ten, östlich
Ostern, österlich
Österreich,
 die Österreicher,
 österreichisch
die **Ost**see
der **Ot**ter, die Otter
oval (eirund), das Oval

A
B
C
D
E
F
G
H
I
J
K
L
M
N
O
P
Q
R
S
T
U
V
W
X
Y
Z

der **Over|all** (einteiliger
Anzug), die Overalls
der **Over|head|pro|jek|tor**,
die Overhead-
projektoren
der **Oze|an**, die Ozeane
der [das] **Ozon**,
das Ozonloch

ein **paar** (einige), ein paar
Steine, ein paarmal
[paar Mal]
das **Paar** (zwei),
ein Paar Socken
die **Pacht**, die Pächterin,
pachten
pa|cken, sie packt,
die Packung
pad|deln, er paddelt,
das Paddelboot
das **Paket**, die Pakete,
das Päckchen
der **Pa|last**, die Paläste
die **Pa|let|te**, die Paletten

die **Pal|me**, die Palmen,
der Palmsonntag
die **Pam|pel|mu|se**,
die Pampelmusen
der **Pan|da|bär**,
die Pandabären
pa|nie|ren, er paniert,
das Paniermehl
die **Pa|nik**, panisch
die **Pan|ne**, die Pannen
das **Pa|no|ra|ma** (Rundblick)
der **Pan|ther** [Panter],
die Panther
der **Pan|tof|fel**,
die Pantoffeln
die **Pan|to|mi|me** (Darstellen
von Szenen ohne Worte)
der **Pan|zer**, die Panzer
der **Pa|pa**, die Papas, Papi
der **Pa|pa|gei**,
die Papageien
das **Pa|pier**, die Papiere
die **Pap|pe**, die Pappen,
das Pappmaschee
die **Pap|pel**, die Pappeln
pap|pig, pappen
der [die] **Pa|pri|ka**,
die Paprikas
der **Papst**, die Päpste
das **Pa|ra|dies**,

die Paradiese,
paradiesisch
der **Paragraf**
[§, Paragraph],
die Paragrafen
parallel, die Parallele
der **Parasit**, die Parasiten
parat (bereit, fertig)
das **Pärchen**, die Pärchen
der **Parcours** (Hindernis-
bahn), die Parcours
das **Parfüm**, die Parfüms
parieren, er pariert
Paris (Hauptstadt von
Frankreich)
der **Park**, die Parks
parken, sie parkt,
der Parkplatz
das **Parkett**, die Parkette
[Parketts]
das **Parlament**,
die Parlamente,
parlamentarisch
die **Parole**, die Parolen
die **Partei**, die Parteien,
parteiisch
das **Parterre** (Erdgeschoss)
der **Partner**, die Partner,
die Partnerin
die **Party**, die Partys

der **Pass**, die Pässe
die **Passage** (Durchgang),
die Passagen
der **Passagier**,
die Passagiere
der **Passant** (Fußgänger),
die Passanten
passen, es passt
passieren, es passiert
passiv, die Passivität
die **Pasta** (Nudeln)
die **Paste**, die Pasten,
die Zahnpasta
die **Pastete**, die Pasteten
die **Pastorin**, die
Pastoren, der Pastor
der **Pate**, die Paten,
die Patenschaft
das **Patent**, die Patente,
patent sein
der **Pater**,
die Pater [Patres]
der **Patient**, die Patienten
die **Patrone**, die Patronen
der **Patzer**, die Patzer
die **Pauke**, die Pauken
die **Pause**, die Pausen,
pausieren, pausenlos
pausen, sie paust,
das Pauspapier

A
B
C
D
E
F
G
H
I
J
K
L
M
N
O
P
Q
R
S
T
U
V
W
X
Y
Z

der **Pavian**, die Paviane
der **Pavillon**, die Pavillons
der **Pazifik**
  [Pazifischer Ozean]
der **PC**, die PCs [PC]
  [Personalcomputer]
das **Pech**
das **Pedal**, die Pedale
der **Pegel**, die Pegel
  peilen, er peilt
die **Pein**, peinigen,
  der Peiniger
  peinlich
die **Peitsche**, die
  Peitschen, peitschen
die **Pelle**, die Pellen,
  pellen
der **Pelz**, die Pelze, pelzig
das **Pendel**, die Pendel,
  pendeln,
  die Pendlerin
der **Penis**, die Penisse
die **Pension**,
  die Pensionen
  perfekt, die Perfektion
das **Pergament**,
  das Pergamentpapier
die **Periode**, die Perioden
die **Perle**, die Perlen,
  perlen

die **Person**, die Personen,
  persönlich,
  das Personal,
  die Persönlichkeit
die **Perücke**,
  die Perücken
der **Pessimismus**,
  die Pessimistin,
  pessimistisch
die **Pest** (Krankheit, Seuche)
die **Petersilie**,
  die Petersilien
das **Petroleum**
  petzen, sie petzt
der **Pfad**, die Pfade,
  die Pfadfinder
der **Pfahl**, die Pfähle
die **Pfalz**, die Pfälzer,
  pfälzisch
das **Pfand**, die Pfänder,
  pfänden
die **Pfanne**, die Pfannen,
  der Pfannkuchen
die **Pfarrerin**, die Pfarrer,
  der Pfarrer,
  die Pfarrei
der **Pfau**, die Pfaue
  [Pfauen]
der **Pfeffer** (Gewürz),
  pfeffern

die **Pfefferminze**
die **Pfeife**, die Pfeifen
    pfeifen, er pfeift, ich
    pfiff, sie hat gepfiffen
der **Pfeil**, die Pfeile
der **Pfeiler**, die Pfeiler
der **Pfennig** [Pf.],
    65 Pfennige
das **Pferd**, die Pferde
der **Pfiff**, die Pfiffe
der **Pfifferling**,
    die Pfifferlinge
    pfiffig
    Pfingsten
der **Pfirsich**, die Pfirsiche
die **Pflanze**, die Pflanzen,
    das Pflänzchen,
    pflanzen
das **Pflaster**, die Pflaster,
    pflastern
die **Pflaume**,
    die Pflaumen
    pflegen, sie pflegt, die
    Pflege, der Pfleger
die **Pflicht**, die Pflichten,
    pflichtbewusst
    pflücken, er pflückt
der **Pflug**, die Pflüge,
    den Acker pflügen
die **Pforte**, die Pforten,
    die Pförtnerin
der **Pfosten**, die Pfosten
die **Pfote**, die Pfoten,
    das Pfötchen
der **Pfropfen**, die Pfropfen,
    aufpfropfen
    pfui!
das **Pfund** [Pfd.],
    die Pfunde
    pfuschen, sie pfuscht,
    der Pfusch,
    die Pfuscherei
die **Pfütze**, die Pfützen
die **Phantasie** → Fantasie
das **Phantom**,
    die Phantome
der **Philosoph**,
    die Philosophen,
    philosophieren
die **Physik**, physikalisch
die **Pianistin**,
    die Pianisten,
    das Piano
der **Pickel**, die Pickel
    picken, es pickt
das **Picknick**, die
    Picknicke [Picknicks],
    picknicken
    piepen, es piept
    piepsen, es piepst

A
B
C
D
E
F
G
H
I
J
K
L
M
N
O
P
Q
R
S
T
U
V
W
X
Y
Z

piercen, sie pierct,
das Piercing
pikant (scharf)
piken [piksen],
es pikt [pikst]
die Pille, die Pillen
der Pilot, die Piloten
der Pilz, die Pilze
der Pinguin, die Pinguine
pink (rosa)
die Pinnwand,
die Pinnwände
der Pinsel, die Pinsel,
pinseln
die Pinzette,
die Pinzetten
die Piratin, die Piraten
pirschen, er pirscht,
anpirschen,
die Pirsch
die Piste, die Pisten
die Pistole, die Pistolen
pitschnass
die Pizza, die Pizzas
[Pizzen], die Pizzeria
der Pkw [PKW]
(Personenkraftwagen),
die Pkws [Pkw]
die Plage, die Plagen,
plagen

das Plakat, die Plakate,
plakatieren
die Plakette,
die Plaketten
der Plan, die Pläne,
planen, planmäßig
die Plane (Decke),
die Planen
der Planet, die Planeten
planieren, er planiert,
die Planierraupe
die Planke, die Planken
planschen
[plantschen],
sie planscht,
das Planschbecken
die Plantage,
die Plantagen
plappern, er plappert
plärren, sie plärrt
das Plastik (Kunststoff),
die Plastiktüte
das Plastilin (Knetmasse)
plätschern,
es plätschert
platt, plätten,
der Plattfuß
das Platt (Dialekt)
die Platte, die Platten
der Platz, die Plätze,

das Plätzchen
plat|zen, er platzt
plau|dern, sie plaudert,
die Plauderei
plau|si|bel
das **Play-back** [Playback]
plei|te, er ist pleite,
die Pleite
die **Plom|be** (Zahnfüllung),
die Plomben,
plombieren
plötz|lich
plump
plump|sen, er plumpst
der **Plun|der**
plün|dern, sie plündert,
die Plünderung,
die Plünderer
der **Plu|ral** (Mehrzahl)
plus, das Pluszeichen
der **Plu|to** (Planet)
po|chen, es pocht
die **Po|cke**, die Pocken
das **Po|dest**, die Podeste
die **Poe|sie** (Dichtung),
das Poesiealbum,
poetisch
der **Po|kal**, die Pokale
der **Pol**, die Pole,
der Südpol

Po|len, die Polen,
polnisch
po|lie|ren, er poliert,
die Politur
die **Po|lites|se**,
die Politessen
die **Po|li|tik**, die Politiker,
politisch
die **Po|li|zei**, polizeilich
der **Po|li|zist**,
die Polizisten,
die Polizistin
der **Pol|len** (Blütenstaub),
die Pollen
das **Pol|ster**, die Polster,
polstern
pol|tern, sie poltert,
der Polterabend
die **Pommes frites**
[Pommes]
das **Po|ny**, die Ponys
der **Pool** (Schwimmbecken),
die Pools
das **Pop|corn**
die **Pop|mu|sik**,
die Popstars
der **Po|po** [Po], die Popos
po|pu|lär (beliebt)
die **Po|re**, die Poren, porös
das **Por|tal**, die Portale

das **Porte|mon|naie** (Geld-
beutel) [Portmonee],
die Portemonnaies

der **Por|ti|er** (Pförtner),
die Portiers

die **Por|ti|on**, die Portionen

das **Por|to**, die Portos
[Porti], Briefporto

das **Por|trät**, die Porträts

Por|tu|gal,
die Portugiesen,
portugiesisch

das **Por|zel|lan**,
die Porzellane

die **Po|sau|ne**,
die Posaunen

po|si|tiv

die **Post**, der Postbote,
die Postleitzahl

der **Pos|ten**, die Posten

das [der] **Pos|ter**,
die Poster [Posters]

Pots|dam

die **Pracht**, prächtig

das **Prä|di|kat**,
die Prädikate

Prag (Hauptstadt der
Tschechischen Republik)

prä|gen, er prägt

prah|len, sie prahlt

prak|tisch,
das Praktikum

die **Pra|li|ne**, die Pralinen

prall, der pralle Sack

pral|len, er prallt,
der Aufprall

die **Prä|mie**, die Prämien

die **Pran|ke**, die Pranken

die **Prä|po|si|ti|on**
(Verhältniswort),
die Präpositionen

die **Prä|rie**, die Prärien

das **Prä|sens** (Gegenwart)

der **Prä|si|dent**,
die Präsidenten,
die Präsidentin

pras|seln, es prasselt

das **Prä|te|ri|tum**
(Vergangenheit)

die **Pra|xis**, die Praxen,
die Arztpraxis

prä|zis [präzise]

pre|di|gen, er predigt,
die Predigt

der **Preis**, die Preise,
preiswert

die **Prei|sel|bee|re**,
die Preiselbeeren

prel|len, sie prellt,
die Prellung

die **Pre**mie**re**,
die Premieren
die **Pres**se
pressen, er presst
prickeln, es prickelt,
prickelnd
der **Prie**ster, die Priester,
die Priesterin
prima
die **Pri**mel, die Primeln
primi**tiv** (einfach)
die **Prin**zes**sin**,
die Prinzessinnen,
der Prinz
das **Prin**zip, die Prinzipien
privat
pro, pro Stück
die **Pro**be, die Proben,
proben
probie**ren**, sie probiert
das **Pro**blem,
die Probleme,
problematisch
das **Pro**dukt, die Produkte,
die Produktion,
produzieren
die **Profes**so**rin**,
die Professoren,
der Professor
der **Pro**fi, die Profis

das **Pro**fil, die Profile
das **Pro**gramm,
die Programme,
programmieren
das **Pro**jekt, die Projekte
der **Pro**jek**tor**,
die Projektoren,
projizieren
promi**nent**
prompt (sofort)
das **Pro**no**men** (Fürwort),
die Pronomen
der **Pro**pel**ler**,
die Propeller
der **Pro**phet,
die Propheten,
prophezeien
(voraussagen)
prosit! [prost!]
der [das] **Pro**spekt,
die Prospekte
der **Pro**test, die Proteste,
protestieren
der **Pro**tes**tant**,
die Protestanten,
protestantisch
die **Pro**the**se**,
die Prothesen
das **Pro**to**koll**,
die Protokolle

protzen, er protzt
der Proviant (Verpflegung)
die Provinz, die Provinzen
das Prozent [%],
die Prozente
der Prozess, die Prozesse
die Prozession,
die Prozessionen
prüfen, sie prüft,
die Prüfung
prügeln, er prügelt,
die Prügel,
die Prügelei
der Prunk, prunkvoll
prusten, sie prustet
der Psalm, die Psalmen
die Pubertät
das Publikum
der Pudding,
die Puddinge
[Puddings]
der Pudel, die Pudel,
pudelwohl,
pudelnass
der [das] Puder,
die Puder, pudern
der Puffer, die Puffer
der Pulli, die Pullis
der Pullover, die Pullover
der Puls, die Pulse,

pulsieren
das Pult, die Pulte
das Pulver, die Pulver
der Puma, die Pumas
pummelig [pummlig]
die Pumpe, die Pumpen,
pumpen
der Punkt, die Punkte
pünktlich,
die Pünktlichkeit
die Pupille, die Pupillen
die Puppe, die Puppen,
das Püppchen
pur (rein, unverfälscht)
das Püree, die Pürees
purzeln, sie purzelt
pusten, er pustet,
die Puste
die Pute, die Puten
putzen, sie putzt,
das Putzmittel,
der Putz
putzig (drollig)
das Puzzle (Legespiel),
die Puzzles, puzzeln
der Pyjama, die Pyjamas
die Pyramide,
die Pyramiden

Qu

der **Qua**der, die Quader
das **Qua**drat,
   die Quadrate,
   quadratisch
   quaken, er quakt
   quälen, sie quält,
   die Qual, quälend
die **Qua**lifikation,
   die Qualifikationen,
   qualifizieren
die **Qua**lität,
   die Qualitäten
die **Qua**lle, die Quallen
der **Qua**lm, qualmen
der **Quark**
das **Quar**tal, die Quartale
das **Quar**tett, die Quartette
das **Quar**tier, die Quartiere
der **Quarz**, die Quarze,
   der Quarzstein
   quasseln, er quasselt
der **Quatsch**, quatschen
das **Queck**silber
die **Que**lle, die Quellen
   quellen, es quillt,
   es quoll,

   es ist gequollen
   quengeln,
   sie quengelt
   quer, der Querschnitt,
   die Querflöte,
   querfeldein
   quetschen,
   er quetscht,
   die Quetschung
   quicklebendig
   quieken [quieksen],
   es quiekt [quiekst]
   quietschen,
   es quietscht
der **Quirl**, die Quirle,
   quirlen, quirlig
die **Quit**te, die Quitten
die **Quit**tung,
   die Quittungen,
   quittieren, quitt sein
das **Quiz**, die Quiz,
   die Quizshow
die **Quo**te, die Quoten
der **Quo**tient,
   die Quotienten

A
B
C
D
E
F
G
H
I
J
K
L
M
N
O
P
Q
R
S
T
U
V
W
X
Y
Z

A
B
C
D
E
F
G
H
I
J
K
L
M
N
O
P
Q
R
S
T
U
V
W
X
Y
Z

R

der **Rabatt**, die Rabatte
der **Rabauke**,
   die Rabauken
der **Rabbiner**,
   die Rabbiner
der **Rabe**, die Raben
   rabiat (wütend, grob)
die **Rache**, rächen,
   der Rächer
der **Rachen**, die Rachen
das **Rad**, die Räder,
   die Radfahrer,
   Rad fahren,
   Vergleich: → Rat
das [der] **Radar**
der **Radau** (Lärm, Krach)
   radieren, sie radiert,
   der Radierer,
   der Radiergummi
das **Radieschen**,
   die Radieschen
   radikal
das **Radio**, die Radios
die **Radioaktivität**,
   radioaktiv
der **Radius**, die Radien

raffen, er rafft,
   raffgierig
raffiniert,
   die Raffinesse
ragen, es ragt
der **Rahm** (Sahne)
der **Rahmen**, die Rahmen,
   rahmen, einrahmen
die **Rakete**, die Raketen
die **Rallye** [Rally],
   die Rallyes [Rallys]
der **Ramadan** (Fastenmonat
   der Moslems)
   rammen, sie rammt
die **Rampe**, die Rampen
   ramschen, er ramscht,
   der Ramsch
der **Rand**, die Ränder
   randalieren,
   sie randaliert
der **Rang**, die Ränge
   rangeln, sie rangelt,
   die Rangelei
   rangieren, er rangiert,
   die Rangierlok
   rank (schlank)
die **Ranke**, die Ranken,
   ranken
der **Ranzen**, die Ranzen
   ranzig, ranziges Öl

der **Rap** (Sprechgesang),
   die Raps, die Rapper
   rapid [rapide]
   (sehr schnell)
der **Rappe**, die Rappen
der **Raps**, das Rapsöl
   rar (selten), die Rarität
   rasant (sehr schnell)
   rasch, rascher,
   am raschesten
   rascheln, er raschelt
   rasen, sie rast, rasend
der **Rasen**, die Rasen,
   der Rasenmäher
   rasieren, er rasiert,
   der Rasierapparat
   raspeln, sie raspelt,
   die Raspel (Werkzeug)
die **Rasse**, die Rassen
   rasseln, er rasselt,
   die Rassel
   rasten, sie rastet, die
   Rast, die Raststätte
der **Rat**, die Ratschläge,
   das Rathaus,
   Vergleich: → Rad
die **Rate** (Teilzahlung),
   die Raten
   raten, er rät, ich riet,
   sie hat geraten,

   ratsam
die **Ration** (Anteil),
   die Rationen
das **Rätsel**, die Rätsel,
   rätseln
die **Ratte**, die Ratten
   rattern, sie rattert
   rau, rauer, am
   rauesten [rausten],
   der Raureif
der **Raub**, rauben, die
   Räuber, das Raubtier
der **Rauch**, rauchen,
   die Raucher, rauchig
   räuchern, sie räuchert
   rauf, herauf
   raufen, er rauft,
   die Rauferei
der **Raum**, die Räume,
   die Raumfahrt,
   das Raumschiff
   räumen, sie räumt
das **Raunen**, raunen
die **Raupe**, die Raupen
   raus, heraus
der **Rausch**, die Räusche,
   das Rauschgift
   rauschen, es rauscht
sich **räuspern**,
   er räuspert sich

A
B
C
D
E
F
G
H
I
J
K
L
M
N
O
P
Q
R
S
T
U
V
W
X
Y
Z

die **Ravioli** (Nudelgericht)
die **Razzia**, die Razzien
reagieren, sie
   reagiert, die Reaktion
real, die Realität
die **Realschule**,
   die Realschulen
die **Rebe**, die Reben
der **Rechen** (Harke),
   die Rechen, rechen
rechnen, er rechnet,
   die Rechnung
recht, erst recht,
   das ist mir recht
das **Recht**, die Rechte,
   die Rechtsanwältin
das **Rechteck**,
   die Rechtecke,
   rechteckig
rechtfertigen,
   er rechtfertigt,
   die Rechtfertigung
rechts, rechtshändig,
   das rechte Ohr,
   rechtsherum
die **Rechtschreibung**
rechtzeitig
das **Reck**, die Recke
   [Recks]
recken, sie reckt sich

das **Recycling**
   (Wiederverwertung)
die **Rede**, die Reden,
   reden
redlich,
   die Redlichkeit
das **Referat**, die Referate
reflektieren,
   es reflektiert
die **Reform**,
   die Reformen,
   die Reformation,
   reformieren
der **Refrain** (Kehrreim),
   die Refrains
das **Regal**, die Regale
die **Regatta**, die Regatten
rege, geistig rege sein
die **Regel**, die Regeln,
   die Regelung,
   regelmäßig,
   regelrecht
regen, er regt sich,
   die Regung
der **Regen**, regnen,
   der Regenmantel,
   regnerisch
die **Regierung**,
   die Regierungen,
   regieren

der **Regisseur**,
die Regisseure,
die Filmregisseurin
das **Reh**, die Rehe,
der Rehbock,
das Rehkitz
reiben, sie reibt, ich
rieb, er hat gerieben,
die Reibung
reich, der Reichtum,
die Reichen,
reichlich, reichhaltig
das **Reich**, die Reiche,
das Königreich
reichen, er reicht den
Teller, es reicht ihr,
ausreichen
reif, reifes Obst, reifen,
die Reife
der **Reif**, der Raureif
der **Reif**, die Reife,
der Armreif
der **Reifen**, die Reifen
der **Reigen**, die Reigen
die **Reihe**, die Reihen,
reihen, reihum,
die Reihenfolge
der **Reim**, die Reime,
reimen
rein, reinigen,

die Reinheit,
die Reinigung
rein, herein
der **Reis**, das Reiskorn
reisen, sie reist,
die Reise
das **Reisig**
reißen, er reißt, ich
riss, sie hat gerissen,
der Reißverschluss,
der Riss
reiten, sie reitet,
ich ritt, er ist [hat]
geritten, die Reiterin
reizen, er reizt,
reizend, der Reiz,
gereizt
sich **rekeln** [räkeln],
sie rekelt sich
die **Reklame**,
die Reklamen
reklamieren,
er reklamiert,
die Reklamation
der **Rekord**, die Rekorde
der **Rekorder** [Recorder],
die Rekorder,
der DVD-Rekorder
der **Rektor**, die Rektoren,
die Rektorin

relativ (vergleichsweise)

die **Religion**, die
Religionen, religiös

die **Reling**, die Relings

die **Reliquie**,
die Reliquien

rempeln, er rempelt,
die Rempelei

rennen, sie rennt, ich
rannte, er ist gerannt,
das Rennen

renovieren,
er renoviert,
die Renovierung

die **Rente**, die Renten,
die Rentner

das **Rentier**, die Rentiere

sich **rentieren**,
es rentiert sich

reparieren,
sie repariert,
die Reparatur

die **Reporterin**,
die Reporter,
die Reportage

das **Reptil**, die Reptilien

die **Republik**,
die Republiken

die **Reserve**,
die Reserven

reservieren,
er reserviert

der **Respekt**, respektieren

der **Rest**, die Reste

das **Restaurant**,
die Restaurants

das **Resultat**,
die Resultate

retten, sie rettet, die
Retter, die Rettung

der **Rettich**, die Rettiche

die **Reue**, bereuen,
reumütig

das **Revier**, die Reviere

die **Revolution**,
die Revolutionen,
die Revolutionäre

der **Revolver**,
die Revolver

Reykjavík (Hauptstadt
von Island)

das **Rezept**, die Rezepte

der **Rhabarber**

der **Rhein** (Fluss)

das **Rheinland**,
die Rheinländer,
rheinländisch

Rheinland-Pfalz, die
Rheinland-Pfälzer,
rheinland-pfälzisch

das **Rheuma**, rheumatisch
der **Rhythmus**,
  die Rhythmen,
  rhythmisch
der **Richter**, die Richter,
  die Richterin, richten
  richtig, die Richtigkeit
die **Richtung**,
  die Richtungen
  riechen, sie riecht,
  ich roch,
  er hat gerochen,
  der Geruch
die **Riege**, die Riegen
der **Riegel**, die Riegel
der **Riemen**, die Riemen
der **Riese**, die Riesen,
  riesig, riesengroß
  rieseln, es rieselt
das **Riff**, die Riffe
  Riga (Hauptstadt von
  Lettland)
die **Rille**, die Rillen
das **Rind**, die Rinder
die **Rinde**, die Rinden
der **Ring**, die Ringe
  ringen, er ringt,
  ich rang,
  sie hat gerungen,
  der Ringer,

der Ringkampf
rings, ringsherum
die **Rinne**, die Rinnen
  rinnen, es rinnt, es
  rann, es ist geronnen,
  das Rinnsal
die **Rippe**, die Rippen
das **Risiko**, die Risiken
  [Risikos]
  riskieren, sie riskiert,
  riskant
der **Riss**, die Risse, rissig
der **Ritt**, die Ritte, rittlings
der **Ritter**, die Ritter,
  ritterlich
  ritzen, er ritzt,
  die Ritze
die **Rivalin**, die Rivalen
die **Robbe**, die Robben
der **Roboter**, die Roboter
  robust (widerstandsfähig)
  röcheln, sie röchelt
der **Rock**, die Röcke
der **Rock**, die Rocker,
  die Rockmusik
  rodeln, er rodelt,
  der Rodel,
  die Rodelbahn
  roden, sie rodet
der **Roggen**

roh, die Rohheit
das Rohr, die Rohre
die Röhre, die Röhren
der Rohstoff,
die Rohstoffe
die Rolle, die Rollen
rollen, er rollt, der
Roller, der Rollstuhl
der Rollladen, die
Rollläden [Rollladen]
das Rollo, die Rollos
Rom (Hauptstadt von
Italien), die Römer,
römisch
der Roman, die Romane
romantisch,
die Romantik
röntgen, sie röntgt,
das Röntgenbild
rosa, rosig
die Rose, die Rosen
der Rosenkranz,
die Rosenkränze
die Rosine, die Rosinen
das Ross (Pferd), die Rosse
[Rösser]
rosten, es rostet,
rostiges Eisen,
der Rost
rösten, er röstet,

geröstete Mandeln
rot, rötlich,
das Rote Kreuz,
das Rotkehlchen,
das Rotkäppchen
die Röteln (Krankheit)
die Route, die Routen
(Wegplan)
der Rowdy (gewalttätiger
Mensch), die Rowdys
rubbeln, sie rubbelt
die Rübe, die Rüben
der Ruck, die Rucke,
ruckartig
rücken, er rückt
der Rücken, die Rücken,
das Rückgrat,
der Rückenwind
die Rückfahrt,
die Rückfahrten,
die Rückfahrkarte
die Rückkehr
das Rücklicht,
die Rücklichter
der Rucksack,
die Rucksäcke
die Rücksicht,
die Rücksichten,
rücksichtslos
der Rücksitz,

die Rücksitze
der **Rückstrahler**,
    die Rückstrahler
rückwärts,
    rückwärtsfahren
der **Rüde**, die Rüden
das **Rudel**, die Rudel
rudern, sie rudert,
    das Ruder,
    die Ruderer
rufen, er ruft, ich rief,
    sie hat gerufen,
    der Ruf
die **Rüge**, die Rügen,
    rügen
die **Ruhe**, ruhen, ruhig
der **Ruhm**, rühmen,
    berühmt
die **Ruhr** (Fluss),
    das Ruhrgebiet
rühren, sie rührt,
    rührend, die
    Rührung, das Rührei
die **Ruine**, die Ruinen,
    die Burgruine,
    ruinieren
rülpsen, er rülpst,
    der Rülpser
rum, herum,
    rumstehen

der **Rum** (Branntwein)
Rumänien, die
    Rumänen, rumänisch
der **Rummel**,
    der Rummelplatz
rumoren, es rumort
rumpeln, es rumpelt,
    das Rumpelstilzchen
der **Rumpf**, die Rümpfe
rümpfen,
    sie rümpft die Nase
rund, die Runde, die
    Rundung, rundlich,
    rundherum, runden
der **Rundfunk**
runter, herunter,
    runterhüpfen
die **Runzel**, die Runzeln,
    runzeln, runzelig
    [runzlig]
der **Rüpel**, die Rüpel,
    rüpelhaft
rupfen, sie rupft
ruppig, die Ruppigkeit
der **Ruß**, rußen, rußig
der **Rüssel**, die Rüssel
Russland,
    die Russen, russisch
rüsten, er rüstet
rüstig

A
B
C
D
E
F
G
H
I
J
K
L
M
N
O
P
Q
R
S
T
U
V
W
X
Y
Z

die **Rüstung**,
die Rüstungen
die **Rute**, die Ruten
die **Rutsche**, die
Rutschen, rutschen,
rutschig
rütteln, sie rüttelt

der **Saal**, die Säle
Saarbrücken
das **Saarland**,
die Saarländer,
saarländisch
die **Saat**, die Saaten, säen
der **Sabbat** (jüdischer
Feiertag), die Sabbate
sabbern, er sabbert
der **Säbel**, die Säbel,
säbeln
die **Sache**, die Sachen,
sachlich
die **Sachkunde**,
der Sachunterricht
Sachsen, die

Sachsen, sächsisch
Sachsen-Anhalt, die
Sachsen-Anhalter,
sachsen-anhaltisch
sacht, sachte
der **Sack**, die Säcke,
die Sackgasse
säen, sie sät, die Saat
die **Safari**, die Safaris
der [das] **Safe** (Tresor),
die Safes
der **Saft**, die Säfte, saftig
die **Sage**, die Sagen,
sagenhaft
sagen, sie sagt
sägen, er sägt,
die Säge
die **Sahara**
die **Sahne**, sahnig
die **Saison**, die Saisons
die **Saite** (beim Musikinstru-
ment), die Saiten,
Vergleich: → Seite
das **Sakrament**,
die Sakramente
die **Sakristei**
der **Salamander**,
die Salamander
die **Salami**, die Salami
[Salamis]

der **Salat**, die Salate
die **Salbe**, die Salben,
   salben
der **Salto**, die Saltos
   [Salti]
das **Salz**, die Salze,
   salzen, salzig
der **Samen** [Same],
   die Samen
sammeln,
   sie sammelt,
   die Sammler,
   die Sammlung
der **Samstag**,
   die Samstage,
   am Samstag,
   samstags
der **Samt**, der Samtmantel
sämtlich, samt,
   allesamt
das **Sanatorium** (Heilan-
   stalt), die Sanatorien
der **Sand**, die Sande,
   sandig
die **Sandale**,
   die Sandalen
der [das] **Sandwich**
   (belegtes Weißbrot),
   die Sandwiches
   [Sandwichs]

sanft, sanftmütig
die **Sänfte**, die Sänften
der **Sänger**, die Sänger,
   die Sängerin
die **Sanitäterin**,
   die Sanitäter
Sankt [St.],
   Sankt Martin
Sarajevo (Hauptstadt
   von Bosnien-Herzegowina)
die **Sardine**, die Sardinen
der **Sarg**, die Särge
der **Satan** (Teufel),
   satanisch
der **Satellit**, die Satelliten
satt, sättigen,
   sich satt essen
der **Sattel**, die Sättel,
   das Pferd satteln
der **Saturn** (Planet)
der **Satz**, die Sätze,
   das Satzglied
die **Sau**, die Säue [Sauen]
sauber, säubern,
   die Sauberkeit
sauer, saurer,
   am sauersten,
   die Säure,
   das Sauerkraut
der **Sauerstoff**

A
B
C
D
E
F
G
H
I
J
K
L
M
N
O
P
Q
R
S
T
U
V
W
X
Y
Z

saufen, er säuft, ich soff, sie hat gesoffen, die Säufer

saugen, sie saugt, ich sog [saugte], er hat gesogen [gesaugt], der Sauger

säugen, sie säugt, das Säugetier, der Säugling

die **Säule**, die Säulen

der **Saum**, die Säume, säumen

die **Sauna**, die Saunas [Saunen]

die **Säure**, die Säuren

der **Saurier**, die Saurier

sausen, er saust

das **Saxofon** [Saxophon], die Saxofone

die **S-Bahn** (Schnellbahn), die S-Bahnen

der **Scanner**, die Scanner

schaben, er schabt, der Schaber

der **Schabernack**, die Schabernacke

schäbig

die **Schablone**, die Schablonen

das **Schach**, schachmatt, das Schachspiel

der **Schacht**, die Schächte

die **Schachtel**, die Schachteln

schade, es ist schade

der **Schädel**, die Schädel

der **Schaden**, die Schäden, schadenfroh, schaden, schädigen

schädlich, der Schädling

das **Schaf**, die Schafe, die Schäfer, der Schäferhund

schaffen, sie schafft

der **Schaffner**, die Schaffner

der **Schal**, die Schals [Schale]

die **Schale**, die Schalen

schälen, er schält

der **Schall**, schallen

schalten, sie schaltet

der **Schalter**, die Schalter

das **Schaltjahr**

die **Scham**, sich schämen, schamlos

die **Schande**, schändlich

die **Schanze**,
die Schanzen,
die Sprungschanze
die **Schar**, die Scharen,
scharenweise
scharf, schärfer, am
schärfsten, schärfen,
die Schärfe,
scharfsinnig
der **Scharlach** (Krankheit)
das **Scharnier**,
die Scharniere
scharren, sie scharrt
das [der] **Schaschlik**,
die Schaschliks
der **Schatten**,
die Schatten, schattig
der **Schatz**, die Schätze
schätzen, er schätzt,
die Schätzung
schauen, sie schaut,
die Schau,
das Schaufenster
der **Schauer**, die Schauer,
der Regenschauer
die **Schaufel**, die
Schaufeln, schaufeln
die **Schaukel**,
die Schaukeln,
das Schaukelpferd

schaukeln,
er schaukelt
der **Schaum**,
die Schäume,
schäumen
schaurig, schauerlich,
der Schauer
das **Schauspiel**,
die Schauspiele,
die Schauspieler
der **Scheck**, die Schecks
scheckig (gefleckt)
die **Scheibe**,
die Scheiben,
der Scheibenwischer
der **Scheich**, die Scheiche
[Scheichs]
die **Scheide**, die Scheiden
scheiden, sie
scheidet, ich schied,
er hat geschieden,
die Scheidung
der **Schein**, die Scheine,
der Scheinwerfer
scheinbar,
anscheinend,
scheinheilig
scheinen, sie scheint,
sie schien, sie hat
geschienen

der **Scheit**, die Scheite,
  der Scheiterhaufen
der **Scheitel**, die Scheitel
  scheitern, er scheitert
die **Schelle**, die Schellen,
  schellen, sie schellt
der **Schelm**, die Schelme
  schelten, sie schilt,
    ich schalt,
    er hat gescholten,
    die Schelte
der **Schemel**, die Schemel
der **Schenkel**,
  die Schenkel
  schenken, er schenkt,
    das Geschenk
  scheppern,
    es scheppert
die **Scherbe**, die Scherben
die **Schere**, die Scheren,
  scheren
die **Schererei**,
  die Scherereien
der **Scherz**, die Scherze,
  scherzen, scherzhaft
  scheu, scheuer,
    am scheuesten,
    die Scheu
  scheuchen,
    sie scheucht

scheuen,
  er scheut sich
scheuern,
  sie scheuert,
  das Scheuertuch
die **Scheune**,
  die Scheunen
das **Scheusal**,
  die Scheusale
  scheußlich
der **Schi** → Ski
die **Schicht**, die Schichten
  schick
  schicken, er schickt
das **Schicksal**,
  die Schicksale
  schieben, sie schiebt,
    ich schob,
    er hat geschoben,
    der Schieber
die **Schiedsrichterin**,
  die Schiedsrichter
  schief
der **Schiefer** (Gestein)
  schielen, er schielt
das **Schienbein**,
  die Schienbeine
die **Schiene**, die Schienen
  schießen, er schießt,
    ich schoss,

sie hat geschossen,
der Schuss

das **Schiff**, die Schiffe, die
Schifffahrt, der
Schiffbruch, schiffbar

die **Schikane**,
die Schikanen,
schikanieren

das **Schild** (Hinweis),
die Schilder

der **Schild** (Schutz),
die Schilde
schildern, er schildert,
die Schilderung

die **Schildkröte**,
die Schildkröten

das **Schilf**, die Schilfe
schillern, es schillert

der **Schimmel** (Pilz),
schimmeln,
schimmlig
[schimmelig]

der **Schimmel** (weißes
Pferd), die Schimmel
schimmern,
es schimmert,
der Schimmer

der **Schimpanse**,
die Schimpansen
schimpfen,

sie schimpft
schinden,
er schindet sich

der **Schinken**,
die Schinken

die **Schippe**, die
Schippen, schippen

der **Schirm**, die Schirme

die **Schlacht**,
die Schlachten
schlachten,
sie schlachtet,
die Schlachterei,
der Schlachter

die **Schlacke**,
die Schlacken

die **Schläfe**, die Schläfen
schlafen, sie schläft,
ich schlief,
er hat geschlafen,
der Schlaf, schläfrig
schlaff

der **Schlag**, die Schläge,
die Schlagzeile
schlagen, er schlägt,
ich schlug,
sie hat geschlagen

der **Schlager**,
die Schlager,
die Schlagersänger

der [das] Schlamassel
der Schlamm,
   die Schlämme
   [Schlamme],
   schlammig
   schlampig,
   die Schlamperei
die Schlange,
   die Schlangen,
   sich schlängeln
   schlank
   schlapp, die Schlappe
das Schlaraffenland
   schlau, die Schlauheit,
   die Schläue
der Schlauch,
   die Schläuche
die Schlaufe,
   die Schlaufen
   schlecht, schlechter,
   am schlechtesten,
   die Schlechtigkeit
   schlecken,
   sie schleckt,
   die Schleckerei
   schleichen,
   er schleicht,
   ich schlich,
   sie ist geschlichen
der Schleier, die Schleier,

   schleierhaft
die Schleife, die Schleifen
   schleifen, er schleift,
   ich schliff, sie hat
   geschliffen,
   der Schliff
der Schleim, die
   Schleime, schleimig
   schlemmen,
   sie schlemmt
   schlendern,
   er schlendert,
   der Schlendrian
   schlenkern,
   sie schlenkert
   schleppen,
   er schleppt,
   der Schlepper,
   die Schleppe
Schlesien, die
   Schlesier, schlesisch
Schleswig-Holstein,
   die Schleswig-
   Holsteiner,
   schleswig-
   holsteinisch
   schleudern,
   er schleudert
   schleunig, schleunigst
die Schleuse,

die Schleusen,
schleusen
schlicht,
die Schlichtheit
schlichten,
er schlichtet,
die Schlichtung
der **Schlick** (Schlamm)
schließen, sie
schließt, ich schloss,
er hat geschlossen
schließlich
schlimm,
schlimmstenfalls
die **Schlinge**,
die Schlingen
der **Schlingel**,
die Schlingel
schlingen, er schlingt,
ich schlang,
sie hat geschlungen
der **Schlips**, die Schlipse
der **Schlitten**, die Schlitten
schlittern, sie schlittert
der **Schlittschuh**,
die Schlittschuhe
der **Schlitz**, die Schlitze
das **Schloss**,
die Schlösser
die **Schlosserin**,

die Schlosser,
die Schlosserei
der **Schlot**, die Schlote
schlottern,
er schlottert
die **Schlucht**,
die Schluchten
schluchzen,
sie schluchzt,
das Schluchzen
schlucken,
er schluckt,
der Schluck
schludern,
sie schludert,
schluderig [schludrig]
schlummern,
er schlummert,
der Schlummer
schlüpfen,
sie schlüpft, der
Schlüpfer, schlüpfrig
schlurfen, er schlurft
über den Gang
schlürfen, sie schlürft
die Suppe
der **Schluss**, die Schlüsse
der **Schlüssel**,
die Schlüssel,
das Schlüsselloch

A
B
C
D
E
F
G
H
I
J
K
L
M
N
O
P
Q
R
S
T
U
V
W
X
Y
Z

schmächtig
schmackhaft
schmal, schmaler
[schmäler],
am schmalsten
[schmälsten]
das Schmalz, schmalzig
der Schmarotzer,
die Schmarotzer,
schmarotzen
schmatzen,
sie schmatzt
schmausen,
er schmaust,
der Schmaus
schmecken,
sie schmeckt
schmeicheln,
er schmeichelt,
die Schmeichlerin,
schmeichelhaft
schmeißen,
sie schmeißt,
ich schmiss,
er hat geschmissen
schmelzen,
es schmilzt,
es schmolz,
es ist geschmolzen
der Schmerz,

die Schmerzen,
schmerzen,
schmerzlich,
schmerzhaft,
schmerzlos
der Schmetterling,
die Schmetterlinge
schmettern,
er schmettert
der Schmied,
die Schmiede,
schmieden
schmieren,
sie schmiert, die
Schmiere, schmierig
die Schminke, schminken
schmirgeln,
er schmirgelt,
das Schmirgelpapier
schmökern,
sie schmökert
schmollen,
er schmollt
schmoren, es schmort
schmücken,
sie schmückt,
der Schmuck
schmuggeln,
er schmuggelt,
der Schmuggel,

die Schmuggler
schmunzeln,
sie schmunzelt
schmusen, er schmust
schmutzig,
der Schmutz
der **Schnabel,**
die Schnäbel
die **Schnake,**
die Schnaken
die **Schnalle,**
die Schnallen,
schnallen
schnalzen,
er schnalzt
schnappen,
sie schnappt
der **Schnaps,**
die Schnäpse
schnarchen,
er schnarcht
schnattern,
sie schnattert
schnauben,
er schnaubt
schnaufen,
sie schnauft
die **Schnauze,**
die Schnauzen,
schnauzen

sich **schnäuzen,**
sie schnäuzt sich
die **Schnecke,**
die Schnecken
der **Schnee,**
der Schneeball, das
Schneeglöckchen
schneiden, sie
schneidet, ich schnitt,
er hat geschnitten
die **Schneiderin,**
die Schneider,
schneidern
schneien, es schneit
die **Schneise,**
die Schneisen
schnell,
die Schnelligkeit
schnippeln,
er schnippelt
schnippisch
der [das] **Schnipsel,**
die Schnipsel
der **Schnitt,** die Schnitte
die **Schnitte,**
die Schnitten,
Brotschnitten
der **Schnittlauch**
das **Schnitzel,**
die Schnitzel

A
B
C
D
E
F
G
H
I
J
K
L
M
N
O
P
Q
R
S
T
U
V
W
X
Y
Z

schnitzen, er schnitzt
der Schnorchel,
   die Schnorchel
der Schnörkel,
   die Schnörkel
schnüffeln,
   sie schnüffelt,
   der Schnüffler
der Schnuller,
   die Schnuller
der Schnupfen, schnupfen
schnuppern,
   er schnuppert
die Schnur, die Schnüre,
   die Schnürsenkel,
   schnüren
der Schnurrbart,
   die Schnurrbärte
schnurren,
   sie schnurrt
schnurstracks
der Schock, die Schocks
   [Schocke] schocken,
   schockieren
die Schokolade,
   die Schokoladen
die Scholle, die Schollen
schon
schön, die Schönheit
schonen, er schont,

die Schonung
der Schopf, die Schöpfe
schöpfen, sie schöpft,
   der Schöpfer,
   die Schöpfung
der Schorf, die Schorfe
der Schornstein,
   die Schornsteine,
   der Schornsteinfeger
der Schoß, die Schöße
die Schote, die Schoten
der Schotter
schräg, die Schräge
die Schramme,
   die Schrammen,
   schrammen
der Schrank, die Schränke
die Schranke,
   die Schranken
die Schraube,
   die Schrauben,
   der Schraubenzieher,
   schrauben
der Schreck [Schrecken],
   erschrecken,
   schrecklich,
   schreckhaft
schreiben, er
   schreibt, ich schrieb,
   sie hat geschrieben,

der Schreibtisch
schreien, sie schreit,
ich schrie, er hat
geschrien, der Schrei
die **Schreinerin**,
die Schreiner
schreiten, er schreitet,
ich schritt, sie ist
geschritten
die **Schrift**, die Schriften,
die Schriftsteller,
schriftlich
schrill
der **Schritt**, die Schritte,
schrittweise
schroff, die Schroffheit
der [das] **Schrot**,
die Schrote
der **Schrott**,
der Schrottplatz
schrubben,
er schrubbt,
der Schrubber
schrumpfen,
sie schrumpft
der **Schub**, die Schübe,
die Schubkarre,
die Schublade
schubsen [schupsen],
er schubst [schupst],

der Schubs [Schups]
schüchtern,
die Schüchternheit
der **Schuft**, die Schufte
schuften, sie schuftet
der **Schuh**, die Schuhe
die **Schuld**, der Schuldige,
Schuld haben,
schuldig, ich bin
schuld, schuldlos
schulden,
er schuldet ihr Geld,
die Schulden
die **Schule**, die Schulen,
schulfrei, die Schüler,
das Schuljahr
die **Schulter**, die
Schultern, schultern
schummeln,
sie schummelt
der **Schund** (Minderwertiges)
schunkeln,
sie schunkelt
die **Schuppe**,
die Schuppen
der **Schuppen**,
die Schuppen
schüren, er schürt
schürfen, er schürft,
die Schürfwunde

A
B
C
D
E
F
G
H
I
J
K
L
M
N
O
P
Q
R
S
T
U
V
W
X
Y
Z

der **Schurke**,
die Schurken
die **Schürze**,
die Schürzen
der **Schuss**, die Schüsse
die **Schüssel**,
die Schüsseln
schusselig [schusslig]
der **Schuster**,
die Schuster
der **Schutt**
schütteln,
sie schüttelt,
der Schüttelfrost
schütten, er schüttet
der **Schütze**, die Schützen
schützen, sie schützt,
der Schutz, schutzlos
Schwaben,
die Schwaben,
schwäbisch
schwach, schwächer,
am schwächsten,
die Schwäche,
schwächlich
der **Schwager**,
die Schwäger,
die Schwägerin
die **Schwalbe**,
die Schwalben

der **Schwamm**,
die Schwämme,
schwammig
der **Schwan**, die Schwäne
schwanger,
sie ist schwanger,
die Schwangerschaft
schwanken,
er schwankt
der **Schwanz**,
die Schwänze
schwänzen, sie
schwänzt die Schule
der **Schwarm**,
die Schwärme,
schwärmen
die **Schwarte**,
die Schwarten
schwarz, schwärzen,
schwarzsehen
schwatzen,
[schwätzen], er
schwatzt [schwätzt],
die Schwätzer
schweben,
sie schwebt
Schweden,
die Schweden,
schwedisch
der **Schwefel**,

schweflig [schwefelig]
schweigen,
er schweigt,
ich schwieg,
sie hat geschwiegen,
das Schweigen,
schweigsam
das **Schwein,**
die Schweine,
die Schweinerei
der **Schweiß,**
schweißtreibend
schweißen,
sie schweißt,
die Schweißerin
die **Schweiz,**
die Schweizer,
schweizerisch
schwelen, es schwelt,
der Schwelbrand
die **Schwelle,**
die Schwellen
schwellen, es schwillt,
es schwoll,
es ist geschwollen,
die Schwellung
schwenken,
sie schwenkt
schwer, schwerhörig,
schwerfällig

Schwerin
das **Schwert,**
die Schwerter
die **Schwester,**
die Schwestern
die **Schwiegereltern,**
die Schwiegermutter,
der Schwiegervater
die **Schwiele,**
die Schwielen
schwierig,
die Schwierigkeit
schwimmen,
er schwimmt,
ich schwamm, sie
ist geschwommen,
die Schwimmer,
rückenschwimmen,
das Schwimmbad
schwindeln,
sie schwindelt,
die Schwindler
schwindlig
[schwindelig],
schwindelfrei,
der Schwindel
schwingen,
sie schwingt,
ich schwang,
er hat geschwungen

A
B
C
D
E
F
G
H
I
J
K
L
M
N
O
P
Q
R
S
T
U
V
W
X
Y
Z

schwirren,
  sie schwirren
schwitzen, er schwitzt
schwören, sie
  schwört, ich schwor,
  er hat geschworen
schwül, die Schwüle
der Schwung,
  die Schwünge,
  schwungvoll
der Schwur, die Schwüre
sechs, sechzehn,
  sechzig, sechsmal,
  ein Sechstel
der See (im Land), die Seen
die See (Meer), die Ostsee,
  die Seefahrt,
  seekrank
die Seele, die Seelen,
  seelenruhig
das Segel, die Segel, das
  Segelboot, segeln
der Segen, die Segen,
  segnen
sehen, sie sieht, ich
  sah, er hat gesehen,
  sieh!, sehenswert,
  die Sehenswürdigkeit
die Sehne, die Sehnen
sich sehnen, er sehnt sich,

die Sehnsucht,
  sehnsüchtig
sehr, sehr gut
seicht
seid → sein,
  seid leise,
  Vergleich: → seit
die Seide, der Seidenstoff
die Seife, die Seifen, seifig
das Seil, die Seile
sein, seine, seiner,
  sein Heft
sein, freundlich sein,
  ich bin, du bist, er ist,
  wir sind, ihr seid,
  sie sind, sie war,
  sie waren
seit, seit gestern,
  seitdem,
  Vergleich: → seid
die Seite, die Seiten,
  seitlich, seitwärts,
  seitenlang,
  Vergleich: → Saite
die Sekretärin,
  die Sekretärinnen,
  der Sekretär,
  das Sekretariat
der Sekt (Getränk)
die Sekte, die Sekten

A
B
C
D
E
F
G
H
I
J
K
L
M
N
O
P
Q
R
S
T
U
V
W
X
Y
Z

die **Se|kun|de**,
　20 Sekunden [20 s]
selbst [selber],
　selbst machen,
　selbstbewusst,
　selbstverständlich,
　der Selbstlaut (Vokal)
selbst|stän|dig
　[selbständig]
se|lig, die Seligkeit
der [die] **Sel|le|rie**
　sel|ten, die Seltenheit
selt|sam
das **Se|mi|ko|lon** (Strichpunkt),
　die Semikolons
　[Semikola]
die **Sem|mel**,
　die Semmeln
der **Se|nat**, die Senate,
　die Senatoren
sen|den, sie sendet,
　ich sandte [sendete],
　er hat gesandt
　[gesendet], der
　Sender, die Sendung
der **Senf**
der **Se|ni|or**, die Senioren
　(ältere Menschen)
sen|ken, er senkt
senk|recht,

die Senkrechte
die **Sen|sa|ti|on**,
　die Sensationen,
　sensationell
die **Sen|se**, die Sensen
sen|si|bel
se|pa|rat
der **Sep|tem|ber**
Ser|bi|en, die Serben,
　serbisch
die **Se|rie**, die Serien
se|ri|ös (vertrauenswürdig)
die **Ser|pen|ti|ne** (kurvige
　Bergstraße),
　die Serpentinen
das **Ser|vice** (Geschirr),
　die Service
der [das] **Ser|vice** (Kunden-
　dienst), die Services
ser|vie|ren, sie serviert
die **Ser|vi|et|te**,
　die Servietten
der **Ses|sel**, die Sessel
das [der] **Set**, die Sets
　(Zusammengehöriges)
set|zen, er setzt sich,
　der Setzling
die **Seu|che**, die Seuchen
seuf|zen, sie seufzt,
　der Seufzer

der **Sex**, sexy,
    der Sexualunterricht
das **Shampoo**,
    die Shampoos
der **Sheriff**, die Sheriffs
der **Shop** (Geschäft),
    die Shops
die **Shorts** (kurze Hose)
die **Show** (Vorführung),
    die Shows,
    der Showmaster
    sich, sie setzt sich
die **Sichel**, die Sicheln
    sicher, sicherlich,
    sichern,
    die Sicherheit,
    die Sicherung
die **Sicht**, sichtbar,
    sichten, sichtlich
    sickern, es sickert,
    versickern
    sie, sie liest
das **Sieb**, die Siebe, sieben
    sieben, siebzehn,
    siebzig, siebenmal,
    siebtens
    sieden, es siedet,
    siedend heiß,
    der Siedepunkt
die **Siedlung**,

die Siedlungen,
    siedeln, die Siedler
der **Sieg**, die Siege,
    die Sieger, siegen,
    die Siegerehrung,
    siegreich
das **Siegel**, die Siegel
das **Signal**, die Signale,
    signalisieren
die **Silbe**, die Silben
das **Silber**, silbern, silbrig
der [das] **Silo**, die Silos
der [das] **Silvester**
    simpel (einfach),
    ein simpler Trick
    sind → *sein*,
    wir sind froh
    singen, sie singt,
    ich sang,
    er hat gesungen
der **Single** (alleinstehender
    Mensch), die Singles
der **Singular** (Einzahl)
    sinken, er sinkt,
    ich sank,
    sie ist gesunken
der **Sinn**, die Sinne,
    sinnvoll, sinnlos
die **Sintflut**
die **Sippe**, die Sippen

die **Sirene**, die Sirenen

der **Sirup**

die **Sitte**, die Sitten,
sittsam

die **Situation**,
die Situationen

sitzen, sie sitzt, ich
saß, er hat gesessen,
der Sitz, die Sitzung

die **Skala** (Maßeinteilung),
die Skalen [Skalas]

der **Skandal**,
die Skandale

Skandinavien,
die Skandinavier,
skandinavisch

der **Skat**, die Skatspieler

das **Skateboard**,
die Skateboards

das **Skelett**, die Skelette

der **Sketch** [Sketsch],
die Sketche

der **Ski** [Schi], die Skier
[Ski], die Skifahrerin

die **Skizze**, die Skizzen,
skizzieren

der **Sklave**, die Sklaven

Skopje (Hauptstadt
von Mazedonien)

der **Skrupel**, die Skrupel,

skrupellos

der **Slalom**, die Slaloms

der **Slip**, die Slips

Slowakei,
die Slowaken,
slowakisch

Slowenien,
die Slowenen,
slowenisch

der **Smog** (Abgasdunst)

die **SMS**,
die SMS-Nachricht

das **Snowboard**,
die Snowboards

so, so viele

sobald

die **Socke**, die Socken

der **Sockel**, die Sockel

sodann

sodass [so dass]

das **Sodbrennen**

soeben

das **Sofa**, die Sofas

sofern

Sofia (Hauptstadt
von Bulgarien)

sofort

das **Softeis**

die **Software**
(Computerprogramm)

A
B
C
D
E
F
G
H
I
J
K
L
M
N
O
P
Q
R
S
T
U
V
W
X
Y
Z

A
B
C
D
E
F
G
H
I
J
K
L
M
N
O
P
Q
R
S
T
U
V
W
X
Y
Z

sogar
sogenannt [sog.]
sogleich
die **Sohle**, die Sohlen,
   die Schuhsohle,
   Vergleich: → Sole
der **Sohn**, die Söhne
solang [solange],
   solang er mag, aber:
   eine so lange Zeit
die **Solarenergie**, solar
solch, solcher, solche,
   solches
der **Sold**, die Besoldung
der **Soldat**, die Soldaten
die **Sole** (Salzwasser),
   die Solen,
   Vergleich: → Sohle
sollen, er soll
das **Solo**, die Solos [Soli],
   die Solisten, solo
somit
der **Sommer**, die Sommer,
   sommerlich
das **Sonderangebot**,
   die Sonderangebote
sonderbar
sondern
der **Song** (Lied), die Songs
der **Sonnabend** (Samstag),

die Sonnabende,
   sonnabends
die **Sonne**, die Sonnen,
   sonnig, sich sonnen,
   der Sonnenschirm
der **Sonntag**,
   die Sonntage,
   sonntags,
   sonntäglich
sonst
sooft, sooft du zu
   ihm gehst, aber: er
   kommt so oft zu mir
die **Sorge**, die Sorgen,
   sorgen, sie sorgt,
   sorgfältig, sorglos
die **Sorte**, die Sorten,
   sortieren
SOS (Notruf)
die **Soße** [Sauce],
   die Soßen
der **Sound** (Klangwirkung),
   die Sounds
das **Souvenir** (Andenken),
   die Souvenirs
soviel, soviel ich weiß,
   aber: er hat so viel
   Glück
soweit, soweit ich
   weiß, aber: er war so

weit weg
sowie (und, sobald)
sowieso
sowohl ... als auch ...
sozial
spachteln,
  er spachtelt,
  der Spachtel
die **Spa**ghetti [Spagetti],
  Spaghetti bolognese
spähen, sie späht,
  die Späher
der **Spalt** [die Spalte],
  die Spalten, spalten
das **Spam** (unerwünschte
  E-Mail), die Spams
der **Span**, die Späne
die **Span**ge, die Spangen
Spanien, die Spanier,
  spanisch
spannen, er spannt
spannend,
  die Spannung
sparen, sie spart,
  sparsam,
  die Spardose,
  die Sparsamkeit
der **Spar**gel, die Spargel
spärlich
der **Spaß**, die Späße,

spaßen, spaßig
spät, spätestens
der **Spa**ten, die Spaten
der **Spatz**, die Spatzen
spazieren, er spaziert,
  spazieren gehen,
  der Spaziergang
der **Specht**, die Spechte
der **Speck**, speckig
der **Speer**, die Speere
die **Spei**che, die Speichen
der **Speichel**
der **Spei**cher, die
  Speicher, speichern
speien, er speit, ich
  spie, sie hat gespien
die **Spei**se, die Speisen,
  speisen,
  die Nachspeise
der **Spek**takel (Lärm), das
  Spektakel (Schauspiel),
  die Spektakel
spenden, sie spendet,
  die Spende, die
  Spender, spendieren,
  spendabel
der **Sper**ling,
  die Sperlinge
sperren, er sperrt,
  die Sperre, sperrig

der **Spezialist**,
   die Spezialisten,
   die Spezialität,
   spezialisieren
   speziell
   spicken, sie spickt,
   der Spickzettel
der **Spiegel**, die Spiegel,
   spiegeln, spiegelglatt
   spielen, sie spielt, das
   Spiel, die Spieler,
   das Spielzeug
der **Spieß**, die Spieße
   spießig, die Spießer
der **Spinat**
die **Spindel**, die Spindeln
die **Spinne**, die Spinnen,
   das Spinngewebe
   spinnen, er spinnt,
   ich spann, sie hat
   gesponnen
der **Spion**, die Spione,
   spionieren
die **Spirale**, die Spiralen
der **Spiritus**
   spitz, spitzer, am
   spitzesten
die **Spitze**, die Spitzen
der **Spitzel**, die Spitzel
der **Spitzer**, die Spitzer,

   spitzen
der **Splitt** (kleine Steinchen)
der **Splitter**, die Splitter,
   splittern
der **Sponsor**,
   die Sponsoren
der **Sport**, die Sportler,
   sportlich,
   die Sportschau
der **Spot**, die Spots,
   der Werbespot
   spotten, er spottet,
   der Spott, spöttisch
die **Sprache**,
   die Sprachen,
   sprachlich, sprachlos
der [das] **Spray**,
   die Sprays,
   die Spraydose
   sprechen, sie spricht,
   ich sprach,
   er hat gesprochen,
   die Sprecher
   spreizen, er spreizt
   sprengen, sie sprengt,
   die Sprengung,
   der Sprengstoff
das **Sprichwort**,
   die Sprichwörter
   sprießen, es sprießt,

es spross,
es ist gesprossen
springen, er springt,
ich sprang,
sie ist gesprungen,
die Springer
sprinten, sie sprintet,
der Sprint,
die Sprinter
der **Sprit** (Treibstoff)
spritzen, er spritzt, die
Spritze, der Spritzer
spröd [spröde],
spröde Haut
die **Sprosse**,
die Sprossen
der **Spruch**, die Sprüche
der **Sprudel**, die Sprudel,
sprudeln
sprühen, sie sprüht,
der Sprühregen
der **Sprung**, die Sprünge,
springen, sprunghaft
spucken, er spuckt,
die Spucke
der **Spuk**, spuken,
es spukt
die **Spule**, die Spulen
spülen, er spült,
die Spülung

die **Spur**, die Spuren,
spuren, spurlos
spüren, sie spürt
der **Spurt**, die Spurts
[Spurte], spurten
sich **sputen**, er sputet sich
der **Staat**, die Staaten,
staatlich
der **Stab**, die Stäbe
stabil, die Stabilität
der **Stachel**, die Stacheln,
stachelig [stachlig]
das **Stadion**, die Stadien
die **Stadt**, die Städte, der
Stadtrat, städtisch
die **Staffel**, die Staffeln,
der Staffellauf
der **Stahl**, die Stähle,
stählern, stahlhart
der **Stall**, die Ställe,
der Kuhstall
der **Stamm**, die Stämme,
der Stammbaum,
stämmig
stammeln,
er stammelt
stampfen, sie stampft
der **Stand**, die Stände, der
Ständer, standhaft,
der Standpunkt

ständig (dauernd)

die Stange, die Stangen

der Stängel, die Stängel

stänkern, er stänkert

der Stapel, die Stapel,
stapeln

stapfen, sie stapft

der Star (berühmter Mensch),
die Stars, der Popstar

der Star (Vogel), die Stare

stark, stärker, am
stärksten, die Stärke,
stärken, die Stärkung

starr (fest), die Starrheit

starren, er starrt

der Start, die Starts,
starten

die Station, die Stationen

das Stativ, die Stative

statt, anstatt,
stattdessen

stattfinden → finden

stattlich

die Statue, die Statuen

der Stau, die Staus,
stauen

der Staub, stauben, der
Staubsauger, staubig

die Staude, die Stauden

staunen, sie staunt

das Steak, die Steaks

stechen, er sticht,
ich stach,
sie hat gestochen

stecken, sie steckt,
der Stecker,
der Steckbrief

der Steg, die Stege

stehen, er steht,
ich stand, sie hat
[ist] gestanden,
stehen bleiben,
die Stehlampe

stehlen, sie stiehlt,
ich stahl,
er hat gestohlen

steif, die Steifheit

steigen, er steigt,
ich stieg,
sie ist gestiegen,
die Steigung

steigern, sie steigert,
die Steigerung

steil, der Steilhang

der Stein, die Steine,
steinig, steinhart,
die Steinkohle

stellen, er stellt, die
Stelle, die Stellung

die Stelze, die Stelzen,

stelzen
stem|men, sie stemmt
der **Stem|pel**, die Stempel, stempeln
die **Stepp|de|cke**, die Steppdecken
die **Step|pe**, die Steppen
ster|ben, er stirbt, ich starb, er ist gestorben, sterbenskrank, unsterblich
ste|reo, die Stereoanlage
ste|ril (keimfrei, unfruchtbar)
der **Stern**, die Sterne, die Sternschnuppe
stets, stetig
das **Steu|er** (Lenkrad), die Steuer, steuern
die **Steu|er** (Abgabe), die Steuern
die **Ste|war|dess**, die Stewardessen, der Steward
der **Stich**, die Stiche, das Stichwort, im Stich lassen, sticheln
sti|cken, er stickt, die

Stickerei, der Sticker
sti|ckig
der **Stie|fel**, die Stiefel
die **Stie|fel|tern**, der Stiefvater, die Stiefmutter
die **Stie|ge**, die Stiegen
der **Stiel** (Griff, Stängel), die Stiele, Vergleich: → Stil
der **Stier**, die Stiere
der **Stift**, die Stifte
stif|ten, sie stiftet, die Stiftung
der **Stil** (Darstellungsweise), die Stile, der Kunststil, Vergleich: → Stiel
still, die Stille
stil|len, sie stillt das Baby
die **Stim|me**, die Stimmen
stim|men, es stimmt
die **Stim|mung**, die Stimmungen
stin|ken, es stinkt, es stank, es hat gestunken, stinkfaul
stip|pen (tunken), er stippt

die **Stirn**, die Stirnen
stöbern, sie stöbert
stochern, er stochert
der **Stock** (Stab),
die Stöcke
der **Stock** (Etage),
das Stockwerk,
dreistöckig
stockdunkel,
stockfinster
stocken, es stockt
Stockholm (Hauptstadt
von Schweden)
der **Stoff**, die Stoffe
stöhnen, sie stöhnt
der **Stollen**, die Stollen
stolpern, er stolpert
stolz, stolzer,
am stolzesten,
der Stolz, stolzieren
stopfen, sie stopft
der **Stopfen**, die Stopfen
die **Stoppel**, die Stoppeln
stoppen, er stoppt, der
Stopp, die Stoppuhr
der **Stöpsel**, die Stöpsel
der **Storch**, die Störche
stören, sie stört,
die Störung
störrisch

die **Story** (Geschichte),
die Storys
stoßen, er stößt, ich
stieß, sie hat
gestoßen, der Stoß,
abstoßend
stottern, sie stottert
die **Strafe**, die Strafen, die
Sträflinge, strafen,
strafbar, sträflich
straff
der **Strahl**, die Strahlen,
strahlen, strahlend,
die Strahlung
die **Strähne**, die Strähnen,
strähnig
stramm
strampeln,
er strampelt
der **Strand**, die Strände,
stranden
der **Strang**, die Stränge
die **Strapaze**,
die Strapazen,
strapazieren
die **Straße**, die Straßen
sträuben,
sie sträubt sich
der **Strauch**, die Sträucher
straucheln,

er strauchelt

der **Strauß** (Vogel),
die Strauße

der **Strauß**, die Sträuße,
der Blumenstrauß

streben, er strebt,
die Streber, strebsam

die **Strecke**, die Strecken,
streckenweise

strecken, sie streckt

der **Streich**, die Streiche

streicheln,
er streichelt

streichen, sie streicht,
ich strich, er hat
gestrichen, der
Anstrich, der Strich

das **Streichholz**,
die Streichhölzer

streifen, sie streift,
die Streife,
der Streifenwagen

der **Streifen**, die Streifen,
gestreift

der **Streik**, die Streiks,
streiken

streiten, sie streitet,
ich stritt, er hat
gestritten, der Streit,
die Streiterei

streng, die Strenge

der **Stress**, stressig

streuen, sie streut,
die Streuung,
das Streusalz

streunen, er streunt

der [das] **Streusel**,
die Streusel

der **Strich**, die Striche

der **Strick**, die Stricke

stricken, sie strickt,
die Strickjacke

striegeln, sie striegelt

der **Striemen**,
die Striemen

strikt

das **Stroh**, der Strohhalm

der **Strolch**, die Strolche,
strolchen

der **Strom** (Fluss),
die Ströme, die
Strömung, strömen,
stromabwärts

der **Strom**, das Stromkabel

die **Strophe**, die Strophen

strotzen, sie strotzt

strubbelig [strubblig]

der **Strudel**, die Strudel

der **Strumpf**, die Strümpfe

struppig

der **Struwwelpeter**

die **Stube**, die Stuben

das **Stück**, die Stücke,
stückeln

das **Studio**, die Studios

das **Studium**, die Studien,
die Studenten,
studieren, die Studie

die **Stufe**, die Stufen

der **Stuhl**, die Stühle

die **Stulle** (Scheibe Brot),
die Stullen

stülpen, sie stülpt

stumm

der **Stummel**,
die Stummel

die **Stümperin**,
die Stümper

stumpf,
der Stumpfsinn

der **Stumpf**, die Stümpfe,
der Baumstumpf

die **Stunde**, die Stunden,
stundenlang,
der Stundenplan,
stündlich

stupsen, sie stupst
ihn, der Stups

stur, die Sturheit

der **Sturm**, die Stürme,

stürmisch, stürmen,
die Stürmer

stürzen, er stürzt,
der Sturz

die **Stute**, die Stuten

Stuttgart

stutzen, sie stutzt,
stutzig

stützen, er stützt sie,
die Stütze

das **Styropor**

das **Subjekt**, die Subjekte

das **Substantiv** (Nomen),
die Substantive

subtrahieren,
sie subtrahiert,
die Subtraktion

suchen, er sucht,
die Suche

die **Sucht**, die Süchte,
süchtig

Südamerika,
die Südamerikaner,
südamerikanisch

der **Süden**, südlich,
der Südpol

sühnen, sie sühnt,
die Sühne

die **Summe**, die Summen,
summieren

summen, er summt

der Sumpf, die Sümpfe,
    sumpfig

die Sünde, die Sünden,
    die Sünder, sündigen

super, der Superstar

die Suppe, die Suppen

surfen, sie surft,
    die Surfer

surren, es surrt

süß, süßer, am
    süßesten, süßen,
    süßlich, die Süße,
    die Süßigkeit

das Sweatshirt (weiter Pull-
    over), die Sweatshirts

der Swimmingpool,
    die Swimmingpools

das Symbol, die Symbole,
    symbolisch

symmetrisch,
    die Symmetrie

die Sympathie,
    die Sympathien,
    sympathisch

die Synagoge,
    die Synagogen

das System, die Systeme,
    systematisch

die Szene, die Szenen

T

der Tabak

die Tabelle, die Tabellen

das Tablet (tragbarer
    flacher Computer),
    die Tablets

das Tablett (Servierbrett),
    die Tabletts [Tablette]

die Tablette,
    die Tabletten

das Tabu, die Tabus

der Tacho [Tachometer],
    die Tachos

der Tadel, die Tadel,
    tadeln, tadellos

die Tafel, die Tafeln

der Tag, die Tage, täglich,
    tagelang, tagsüber,
    tagtäglich,
    eines Tages

die Tagung,
    die Tagungen, tagen

die Taille, die Taillen,
    tailliert

der Takt, die Takte,
    taktlos, taktvoll

das Tal, die Täler

A B C D E F G H I J K L M N O P Q R S T U V W X Y Z

das **Talent**, die Talente,
　　talentiert
der **Taler**, die Taler
der **Talg**, die Talge
der **Talisman**,
　　die Talismane
die **Talkshow**,
　　die Talkshows,
　　die Talkmaster
　　Tallinn (Hauptstadt
　　von Estland)
das **Tandem**, die Tandems
der **Tank**, die Tanks,
　　die Tankstelle,
　　der Tanker
　　tanken, sie tankt
die **Tanne**, die Tannen,
　　die Tannenzapfen
die **Tante**, die Tanten
der **Tanz**, die Tänze,
　　tanzen, tänzeln,
　　die Tänzer
die **Tapete**, die Tapeten,
　　tapezieren
　　tapfer, die Tapferkeit
　　tappen, er tappt
　　tapsen, sie tapst,
　　tapsig
　　tarnen, er tarnt,
　　die Tarnung

die **Tasche**, die Taschen
die **Tasse**, die Tassen
die **Taste**, die Tasten,
　　tasten, die Tastatur
die **Tat**, die Taten,
　　die Täter, der Tatort
　　tätig, die Tätigkeit
die **Tätowierung**,
　　die Tätowierungen
die **Tatsache**,
　　die Tatsachen
　　tatsächlich
　　tätscheln, sie tätschelt
die **Tatze**, die Tatzen
der **Tau**, die Tautropfen
das **Tau** (starkes Seil), die
　　Taue, das Tauziehen
　　taub, die Taubheit,
　　taubstumm
die **Taube**, die Tauben
　　tauchen, sie taucht,
　　die Taucher
　　tauen, das Eis taut
die **Taufe**, die Taufen,
　　taufen, die Taufpaten
　　taugen, es taugt
　　nichts, tauglich
　　taumeln, er taumelt
　　tauschen, er tauscht,
　　der Tausch

A B C D E F G H I J K L M N O P Q R S **T** U V W X Y Z

täuschen, sie täuscht,
die Täuschung
tausend, tausendfach,
tausendste,
tausendmal
das **Taxi** [die Taxe],
die Taxis [Taxen]
das **Team** (Gruppe),
die Teams,
die Teamarbeit
die **Technik**, die
Techniken, technisch,
die Techniker,
die Technologie
der **Teddy** [Teddybär],
die Teddys
der **Tee**, die Tees
der **Teenager** (Jugendlicher),
die Teenager
der **Teer**, teeren
der **Teich**, die Teiche,
der Forellenteich
der **Teig**, die Teige,
der Brotteig
teilen, sie teilt,
der [das] Teil,
teilbar, die Teilung
teilnehmen
→ *nehmen*,
die Teilnahme,

die Teilnehmer,
teilnahmslos, teils
teilweise
das **Telefon**, die Telefone,
telefonieren,
telefonisch
das **Telegramm**,
die Telegramme,
telegrafieren
das **Teleskop** (Fernrohr),
die Teleskope
der **Teller**, die Teller
der **Tempel**, die Tempel
das **Temperament**,
die Temperamente,
temperamentvoll
die **Temperatur**,
die Temperaturen
das **Tempo**, die Tempos
[Tempi]
das **Tennis**, Tennis spielen
der **Teppich**, die Teppiche
der **Termin**, die Termine
das **Terrarium** (Behälter für
die Tierhaltung),
die Terrarien
die **Terrasse**,
die Terrassen
der **Terror**, der Terrorismus,
die Terroristen

das **Testament**,
die Testamente
testen, er testet, der
Test, die Tests [Teste]
teuer, teurer,
am teuersten
der **Teufel**, die Teufel,
teuflisch
der **Text**, die Texte
die **Textilien**
das **Theater**, die Theater
die **Theke**, die Theken
das **Thema**, die
Themen [Themata],
thematisch
die **Theologie**,
die Theologen
die **Theorie**, die Theorien,
theoretisch
die **Therapie**,
die Therapien,
der Therapeut
das **Thermalbad**,
die Thermalbäder
das **Thermometer**,
die Thermometer
die **Thermosflasche**,
die Thermosflaschen
der **Thron**, die Throne
der **Thunfisch** [Tunfisch],

die Thunfische
Thüringen,
die Thüringer,
thüringisch
ticken, es tickt,
der Tick
das **Ticket**, die Tickets
tief, die Tiefe,
tiefgekühlt
das **Tier**, die Tiere,
die Tierärztin
der **Tiger**, die Tiger
tilgen, er tilgt
die **Tinte**, die Tinten,
der Tintenkiller
das **Tipi** (Indianerzelt),
die Tipis
der **Tipp**, die Tipps
tippen, sie tippt, der
Tippfehler, tipptopp
Tirana (Hauptstadt
von Albanien)
der **Tisch**, die Tische, das
Tischtennis
der **Tischler**, die Tischler,
die Tischlerei
der **Titel**, die Titel,
das Titelbild
der **Toast**, die Toaste
[Toasts], der Toaster,

das Toastbrot,
toasten
toben, sie tobt,
die Tobsucht
die **Tochter**, die Töchter
der **Tod**, die Tode, tödlich,
todkrank, todmüde,
Vergleich: → tot
die **Toilette**, die Toiletten,
tolerant, die Toleranz,
tolerieren
toll, tollen, die Tollwut,
tollkühn
der **Tollpatsch**,
die Tollpatsche,
tollpatschig
der **Tölpel**, die Tölpel,
tölpelhaft
die **Tomate**, die Tomaten
die **Tombola**,
die Tombolas
der **Ton** (Bodenart), die Töne
der **Ton**, die Töne, tönen,
die Tonleiter,
der Farbton
die **Tonne**, die Tonnen
der **Topf**, die Töpfe,
die Töpferin
topfit
das **Tor**, die Tore,

der **Torwart**
der **Tor** (Narr), die Toren,
die Torheit, töricht
der **Torf**, das Torfmoor
torkeln, er torkelt
der **Tornado**,
die Tornados
der **Tornister**, die Tornister
die **Torte**, die Torten
tosen, tosender Sturm
tot, tot sein, die Toten,
totenstill, totlachen,
totschießen, töten
Vergleich: → Tod
total
das [der] **Toto**,
der Totoschein
die **Tour**, die Touren,
die Radtour, touren
der **Tourist**, die Touristen,
der Tourismus
die **Tournee** (Gastspielreise
von Künstlern),
die Tourneen
der **Trabant**,
die Trabanten
traben, er trabt,
der Trab
die **Tracht**, die Trachten
trächtig

die **Tradition**,
die Traditionen,
traditionell

der **Trafo** [Transformator],
die Trafos

träge, die Trägheit

tragen, sie trägt, ich
trug, er hat getragen,
der Träger, tragfähig,
tragend

tragisch, die Tragik

trainieren, sie trainiert,
das Training,
die Trainer

der **Traktor**, die Traktoren

die **Tram**, die Trams

trampeln, er trampelt

trampen, sie trampt

das **Trampolin**,
die Trampoline

die **Träne**, die Tränen,
tränen

tränken, er tränkt,
die Tränke

der **Transistor**,
die Transistoren

das **Transparent**,
die Transparente,
transparent

der **Transport**,

die Transporte,
transportieren

das **Trapez**, die Trapeze

tratschen, sie tratscht,
der Tratsch

die **Traube**, die Trauben

trauen, sie traut ihm,
die Trauung

trauern, er trauert, die
Trauer, traurig

träufeln, sie träufelt

der **Traum**, die Träume,
träumen, traumhaft,
die Träumerei

traurig, die Traurigkeit

der **Trecker** (Traktor),
die Trecker

treffen, er trifft, ich
traf, sie hat getroffen,
treffend, der Treffer

treiben, sie treibt,
ich trieb,
er hat getrieben,
der Treibstoff

der **Trend**, die Trends

trennen, er trennt, die
Trennung, getrennt

die **Treppe**, die Treppen,
das Treppenhaus,
treppauf

der **Tre|sen**, die Tresen

der **Tre|sor**, die Tresore

tre|ten, sie tritt, ich trat,
er hat getreten,
der Tritt

treu, die Treue, treulos

der [die] **Tri|an|gel**,
die Triangeln

der [das] **Tri|ath|lon**
(Dreikampf im Sport),
die Triathlons

die **Tri|bü|ne**, die Tribünen

der **Trich|ter**, die Trichter

der **Trick**, die Tricks,
tricksen

der **Trieb**, die Triebe,
treiben

das **Tri|kot**, die Trikots

tril|lern, er trillert,
die Trillerpfeife

trim|men,
sie trimmt sich,
der Trimm-dich-Pfad

trin|ken, er trinkt,
ich trank,
sie hat getrunken,
das Trinkgeld

das **Trio** (drei Personen),
die Trios

der **Trip** (Ausflug), die Trips

trip|peln, sie trippelt

der **Tritt**, die Tritte, treten

der **Tri|umph**,
die Triumphe,
triumphieren

tro|cken, trocknen,
die Trockenheit

der **Trö|del**, der Trödler,
der Trödelmarkt

trö|deln, er trödelt

der **Trog**, die Tröge

die **Trom|mel**, die
Trommeln, trommeln,
die Trommler

die **Trom|pe|te**,
die Trompeten

die **Tro|pen**, tropisch

trop|fen, es tropft,
tröpfeln

der **Trop|fen**, die Tropfen

der **Trost**, trösten, trostlos

der **Trot|tel**, die Trottel

trot|ten, sie trottet

trotz, trotz des Regens

der **Trotz**, trotzig

trotz|dem

trüb [trübe], trübselig,
die Trübsal

der **Tru|bel**

trü|ge|risch, trügen

die **Truhe**, die Truhen
die **Trümmer**,
   das Trümmerfeld
der **Trumpf**, die Trümpfe
die **Truppe**, die Truppen
der **Truthahn**,
   die Truthähne
tschau! [ciao!]
   (Abschiedsgruß)
Tschechische
Republik,
   die Tschechen,
   tschechisch
tschüs! [tschüss!]
das **T-Shirt**, die T-Shirts
die **Tuba**, die Tuben
die **Tube**, die Tuben
das **Tuch**, die Tücher
tüchtig, die Tüchtigkeit
die **Tücke**, die Tücken,
   tückisch
die **Tugend**,
   die Tugenden
die **Tulpe**, die Tulpen
sich **tummeln**,
   sie tummelt sich
der **Tumor**, die Tumore
der **Tümpel**, die Tümpel
der **Tumult**, die Tumulte
tun, er tut, ich tat,

sie hat getan
tunken, sie tunkt,
   die Tunke
der **Tunnel**, die Tunnel
   [Tunnels]
das **Tunwort** [Tuwort]
   (Verb), die Tunwörter
tupfen, er tupft, der
   Tupfer, der Tupfen
die **Tür**, die Türen
der **Turban**, die Turbane
die **Turbine**, die Turbinen
turbulent
die **Türkei**, die Türken,
   türkisch
türkis (Farbe)
der **Turm**, die Türme
turnen, sie turnt,
   die Turnerin,
   die Turnhalle
das **Turnier**, die Turniere
die **Tusche**, die Tuschen
tuscheln, er tuschelt
die **Tüte**, die Tüten
tuten, sie tutet
das **Tuwort** → Tunwort
der **Typ**, die Typen,
   typisch
der **Tyrann**, die Tyrannen,
   tyrannisieren

U

die **U-Bahn** (Untergrund-
bahn), die U-Bahnen

übel, übler, am
übelsten, das Übel,
die Übelkeit

üben, er übt,
die Übung

über

überall

das **Überbleibsel**,
die Überbleibsel

der **Überblick**, überblicken

überdrüssig,
der Überdruss

übereinander

überempfindlich

überfahren → *fahren*

der **Überfall**,
die Überfälle,
überfallen

der **Überfluss**, überflüssig

überflutet

überfordern,
sie überfordert sich,
die Überforderung

überfüllt

der **Übergang**,
die Übergänge

übergeben → *geben*

überhaupt

überheblich

überholen → holen

überhören → hören

überlassen → *lassen*

überlegen,
er überlegt,
die Überlegung

überlisten,
er überlistet

übermorgen

übermüdet

übermütig,
der Übermut

übernachten,
sie übernachtet,
die Übernachtung

übernehmen
→ *nehmen*,
die Übernahme

überqueren,
er überquert,
die Überquerung

überraschen,
sie überrascht,
die Überraschung

überreden → reden

A
B
C
D
E
F
G
H
I
J
K
L
M
N
O
P
Q
R
S
T
U
V
W
X
Y
Z

über|rei|chen
→ reichen
die Über|schrift,
die Überschriften
der Über|schuss,
die Überschüsse
über|schwäng|lich
die Über|schwem|mung,
die Überschwem-
mungen
über|set|zen,
er übersetzt,
die Übersetzung
über|sicht|lich,
die Übersicht
über|sie|deln,
sie übersiedelt,
die Übersiedler
die Über|stun|de,
die Überstunden
über|tref|fen → treffen
über|trei|ben → treiben,
die Übertreibung,
über|trie|ben
über|wäl|ti|gen,
er überwältigt,
überwältigend
über|wei|sen,
sie überweist,
die Überweisung

über|wie|gend
über|win|den → winden
über|zeu|gen,
er überzeugt,
die Überzeugung
der Über|zug,
die Überzüge
üb|lich
das U-Boot [Untersee-
boot], die U-Boote
üb|rig, übrig bleiben
üb|ri|gens
die Übung, die Übungen
das Ufer, die Ufer
das Ufo, die Ufos
die Uhr, die Uhren, drei
Uhr, die Uhrzeit
der Uhu, die Uhus
die Ukra|ine, die Ukrainer,
ukrainisch
der UKW-Sen|der [Ultra-
kurzwellensender]
der Ulk, ulkig
um
um|ar|men,
sie umarmt,
die Umarmung
um|bau|en → bauen,
der Umbau
um|dre|hen → drehen,

die Umdrehung
umeinander
umfahren → *fahren*
umfallen → *fallen*
der Umfang, umfangen, umfangreich
die Umfrage, die Umfragen
der Umgang, umgänglich
die Umgebung, umgeben
umgehen → *gehen*
umgekehrt, umkehren, die Umkehr
umhängen → *hängen*, der Umhang
umher, umherlaufen
umkippen → *kippen*
der Umlaut, die Umlaute
die Umleitung, die Umleitungen, umleiten
der Umriss, umreißen
der Umschlag, die Umschläge
umso, umso besser
umsonst
umständlich, der Umstand
umsteigen → *steigen*
umtauschen

→ tauschen, der Umtausch
der Umweg, die Umwege
die Umwelt, der Umweltschutz, umweltfreundlich
umziehen → *ziehen*, der Umzug, die Umzüge
unabhängig
unangenehm
unaufhörlich
unaufmerksam, die Unaufmerksamkeit
unausstehlich
unbedingt
unbehaglich, das Unbehagen
unbeholfen
unbekannt
unbequem
unbeschränkt
unbeschreiblich
unbezahlbar
und
undankbar, die Undankbarkeit
unendlich, die Unendlichkeit
unentschieden

A
B
C
D
E
F
G
H
I
J
K
L
M
N
O
P
Q
R
S
T
U
V
W
X
Y
Z

un|er|hört
un|er|träg|lich
un|fä|hig
un|fair
der Un|fall, die Unfälle
un|freund|lich
der Un|fug
Un|garn, die Ungarn,
ungarisch
un|ge|dul|dig,
die Ungeduld
un|ge|fähr
das Un|ge|heu|er,
die Ungeheuer
un|ge|hin|dert
un|ge|hor|sam,
der Ungehorsam
un|ge|nau,
die Ungenauigkeit
un|ge|nü|gend
un|ge|recht,
die Ungerechtigkeit
un|ge|schickt
un|ge|wiss,
die Ungewissheit
un|ge|wöhn|lich
das Un|ge|zie|fer
un|ge|zo|gen
un|glaub|lich
das Un|glück,

die Unglücke,
unglücklich
un|gül|tig
das Un|heil
un|heim|lich
un|höf|lich
die Uni|form,
die Uniformen
un|in|te|res|sant
die Uni|ver|si|tät,
die Universitäten
die Un|kos|ten
das Un|kraut
un|mit|tel|bar
un|mög|lich
un|nö|tig
das Un|recht
un|ru|hig, die Unruhe
uns, unser, unsere
die Un|schuld, unschuldig
der Un|sinn, unsinnig
un|ten
un|ter, untereinander
un|ter|bre|chen
→ *brechen*,
die Unterbrechung
un|ter|brin|gen
→ *bringen*,
die Unterbringung
un|ter|ein|an|der

die **Un|ter|füh|rung**,
die Unterführungen
der **Un|ter|gang**,
die Untergänge,
untergehen
der **Un|ter|grund**
un|ter|halb
un|ter|hal|ten → *halten*,
die Unterhaltung
das **Un|ter|hemd**,
die Unterhemden
un|ter|ir|disch
die **Un|ter|kunft**,
die Unterkünfte
die **Un|ter|la|ge**,
die Unterlagen
un|ter|neh|men
→ *nehmen*,
das Unternehmen
der **Un|ter|richt**,
unterrichten
der **Un|ter|schied**,
die Unterschiede,
unterscheiden,
unterschiedlich
der **Un|ter|schlupf**,
die Unterschlüpfe
die **Un|ter|schrift**,
die Unterschriften,
unterschreiben

un|ter|stüt|zen
→ stützen,
die Unterstützung
un|ter|su|chen
→ suchen,
die Untersuchung
die **Un|ter|wä|sche**
un|ter|wegs
un|ter|wür|fig,
unterwerfen,
die Unterwerfung
un|ver|gess|lich
un|ver|nünf|tig
un|ver|schämt,
die Unverschämtheit
un|ver|ständ|lich
un|ver|züg|lich
un|vor|sich|tig
das **Un|wet|ter**,
die Unwetter
un|wis|send
un|zäh|lig
un|zer|trenn|lich
un|zu|frie|den,
die Unzufriedenheit
üp|pig
ur|alt
der **Ura|nus** (Planet)
die **Ur|groß|el|tern**
der **Urin**

die **Ur|kun|de,**
die Urkunden
der **Ur|laub,** die Urlaube,
die Urlauber
die **Ur|ne,** die Urnen
die **Ur|sa|che,**
die Ursachen
der **Ur|sprung,**
die Ursprünge,
ursprünglich
das **Ur|teil,** die Urteile,
urteilen
der **Ur|wald,** die Urwälder
die **USA** (Vereinigte Staaten
von Amerika)
die **UV-Strah|len** (ultra-
violette Strahlen)

V

Va|duz (Hauptstadt von
Liechtenstein)
der **Va|ga|bund,**
die Vagabunden
va|ge (unbestimmt)
die **Va|gi|na,** die Vaginen

Va|len|tins|tag
(14. Februar)
Val|let|ta (Hauptstadt
von Malta)
der **Vam|pir,** die Vampire
die **Va|nil|le,** das Vanilleeis
die **Va|se,** die Vasen
der **Va|ter,** die Väter,
väterlich, der Vati,
das Vaterunser
der **Va|ti|kan** (Wohnsitz des
Papstes in Rom)
der **Ve|ge|ta|ri|er,**
die Vegetarier,
vegetarisch
die **Ve|ge|ta|ti|on**
(Pflanzenwelt),
die Vegetationen
das **Veil|chen,** die Veilchen
die **Ve|ne** (Blutgefäß),
die Venen
das **Ven|til,** die Ventile
der **Ven|ti|la|tor,**
die Ventilatoren
die **Ve|nus** (Planet)
ver|ab|re|den,
er verabredet,
die Verabredung
ver|ab|schie|den,
sie verabschiedet,

die Verabschiedung
verachten,
er verachtet,
die Verachtung
die **Veranda,**
die Veranden
verändern,
sie verändert,
veränderlich,
die Veränderung
veranstalten,
er veranstaltet,
die Veranstaltung
die **Verantwortung,**
verantworten
das **Verb** (Tunwort),
die Verben
der **Verband,**
die Verbände,
das Verbandszeug
verbergen → *bergen*
verbessern,
sie verbessert,
die Verbesserung
sich **verbeugen,**
er verbeugt sich,
die Verbeugung
verbieten, sie
verbietet, ich verbot,
er hat verboten

verbinden → *binden,*
die Verbindung,
verbindlich
verblüffen,
er verblüfft,
die Verblüffung
das **Verbot,** die Verbote
verbrauchen,
sie verbraucht,
die Verbraucher
das **Verbrechen,**
die Verbrechen,
die Verbrecher
verbreiten,
die Verbreitung
verbrennen
→ *brennen,*
die Verbrennung
der **Verdacht,**
verdächtigen,
verdächtig
verdammen,
sie verdammt,
die Verdammung
verdauen, er verdaut,
die Verdauung,
verdaulich
verdecken,
sie verdeckt,
das Verdeck

A
B
C
D
E
F
G
H
I
J
K
L
M
N
O
P
Q
R
S
T
U
V
W
X
Y
Z

verderben,
es verdirbt,
es verdarb,
es ist verdorben,
das Verderben,
verderblich
verdienen,
sie verdient,
der Verdienst
verdoppeln,
er verdoppelt,
die Verdoppelung
verdorren, es verdorrt
verdunkeln,
er verdunkelt,
die Verdunkelung
verdünnen,
sie verdünnt,
die Verdünnung
verdunsten,
es verdunstet,
die Verdunstung
verdursten,
er verdurstet
verdutzt
verehren, sie verehrt,
die Verehrung
der Verein, die Vereine,
vereinen, vereinigen,
die Vereinigung

vereinbaren,
er vereinbart,
die Vereinbarung
vereinzelt
verfahren → *fahren*,
das Verfahren
verfassen,
sie verfasst,
die Verfasser,
die Verfassung
verfilmen, er verfilmt,
die Verfilmung
verflixt
verfluchen → fluchen
verfolgen, sie verfolgt,
die Verfolgung
die Vergangenheit,
vergangen,
vergänglich
der Vergaser,
die Vergaser
vergeben, er vergibt,
ich vergab,
sie hat vergeben,
die Vergebung
vergebens, vergeblich
vergessen, er
vergisst, ich vergaß,
sie hat vergessen,
die Vergesslichkeit,

vergesslich
ver|geu|den,
er vergeudet
ver|gif|ten, sie vergiftet,
die Vergiftung
das Ver|giss|mein|nicht
ver|glei|chen,
er vergleicht,
ich verglich,
sie hat verglichen,
der Vergleich
das Ver|gnü|gen,
die Vergnügen,
sich vergnügen
ver|grö|ßern,
er vergrößert,
die Vergrößerung
ver|haf|ten,
sie verhaftet,
die Verhaftung
das Ver|hal|ten,
sich verhalten
das Ver|hält|nis,
die Verhältnisse,
verhältnismäßig
das Ver|hält|nis|wort
(Präposition),
die Verhältniswörter
ver|han|deln,
er verhandelt,

die Verhandlung
ver|hee|rend
ver|heim|li|chen,
sie verheimlicht
ver|hei|ra|tet
ver|hin|dern,
sie verhindert,
die Verhinderung
das Ver|hör, die Verhöre,
verhören
ver|hü|ten, er verhütet,
die Verhütung
sich ver|ir|ren,
sie verirrt sich
ver|kau|fen → kaufen,
der Verkauf,
die Verkäufer
der Ver|kehr,
verkehrssicher
ver|kehrt (falsch)
ver|klei|den,
er verkleidet sich,
die Verkleidung
die Ver|kün|di|gung
[Verkündung],
verkündigen
ver|kür|zen → kürzen
der Ver|lag, die Verlage,
die Verleger
ver|lan|gen, er verlangt

verlängern,
sie verlängert,
die Verlängerung
verlassen, er verlässt,
ich verließ,
sie hat verlassen
verlässlich
verlaufen → *laufen*
verlegen, er verlegt,
die Verlegenheit,
sie ist verlegen
verleihen → *leihen*,
der Verleih
verletzen, er verletzt,
die Verletzung,
die Verletzten
sich verlieben → lieben,
verliebt,
die Verliebten
verlieren, sie verliert,
ich verlor,
er hat verloren
das Verlies, die Verliese
die Verlobung,
die Verlobungen,
sich verloben
verlocken, er verlockt,
die Verlockung
verlosen, sie verlost,
die Verlosung

der Verlust, die Verluste
sich vermählen,
er vermählt sich,
die Vermählung
vermehren,
sie vermehrt,
die Vermehrung
vermeiden → *meiden*,
vermeidbar
vermieten,
er vermietet,
die Vermieter
vermissen,
sie vermisst,
die Vermissten
das Vermögen,
die Vermögen,
vermögend
vermuten,
er vermutet,
die Vermutung,
vermutlich
vernachlässigen,
sie vernachlässigt,
die Vernachlässigung
vernehmen
→ *nehmen*,
die Vernehmung
verneigen → *neigen*,
die Verneigung

ver|nich|ten,
  er vernichtet,
  die Vernichtung
die **Ver|nunft**, vernünftig
ver|pa|cken → packen,
  die Verpackung
ver|pas|sen,
  sie verpasst
die **Ver|pfle|gung**,
  verpflegen
die **Ver|pflich|tung**,
  verpflichten
ver|prü|geln → prügeln
ver|ra|ten, er verrät,
  ich verriet, sie hat
  verraten, der Verrat,
  die Verräter,
  verräterisch
sich **ver|rech|nen**
  → rechnen
ver|rei|ben → *reiben*
ver|rei|sen → reisen
ver|ren|ken,
  sie verrenkt sich,
  die Verrenkung
ver|ros|ten,
  es verrostet
ver|rückt, verrückt
  sein, die Verrückten
der **Vers** (Zeile eines

Gedichtes), die Verse
ver|sa|gen, er versagt,
  die Versager
ver|sam|meln,
  sie versammelt,
  die Versammlung
ver|säu|men,
  er versäumt,
  das Versäumnis
ver|schie|den
ver|schla|fen
  → *schlafen*
ver|schlam|pen,
  sie verschlampt
ver|schlech|tern,
  er verschlechtert
ver|schlie|ßen
  → *schließen*,
  der Verschluss
ver|schmut|zen,
  sie verschmutzt,
  die Verschmutzung
ver|schnupft
ver|schwen|den,
  er verschwendet,
  die Verschwendung
ver|schwin|den,
  sie verschwindet,
  ich verschwand,
  er ist verschwunden

A
B
C
D
E
F
G
H
I
J
K
L
M
N
O
P
Q
R
S
T
U
V
W
X
Y
Z

das **Ver**se|hen,
  die Versehen,
  versehentlich
versen|den → *senden*,
  der Versand
versen|ken → senken
verset|zen, er versetzt,
  die Versetzung
versi|chern,
  sie versichert,
  die Versicherung
versöh|nen,
  er versöhnt,
  die Versöhnung
versor|gen → sorgen,
  die Versorgung
sich **ver**spä|ten,
  er verspätet sich,
  die Verspätung
verspre|chen
  → *sprechen*,
  das Versprechen
der **Ver**stand, verständig
verstän|di|gen,
  sie verständigt,
  die Verständigung,
  verständlich,
  das Verständnis,
  verständnisvoll
der **Ver**stär|ker,

  die Verstärker,
  verstärken
verstau|chen,
  er verstaucht,
  die Verstauchung
verste|cken,
  sie versteckt,
  das Versteck
verste|hen,
  er versteht,
  ich verstand,
  sie hat verstanden
verstei|gern,
  er versteigert,
  die Versteigerung
die **Ver**stei|ne|rung,
  die Versteinerungen
verstopft
der **Ver**such, die
  Versuche, versuchen
vertei|di|gen,
  sie verteidigt,
  die Verteidigung,
  die Verteidiger
vertei|len, er verteilt,
  die Verteilung
der **Ver**trag, die Verträge
vertra|gen, er verträgt,
  ich vertrug,
  sie hat vertragen

das **Ver|trau|en**, vertrauen,
vertraulich, vertraut
ver|träumt
ver|trei|ben → *treiben*,
die Vertreibung
ver|tre|ten → *treten*,
die Vertreter,
die Vertretung
ver|un|glü|cken,
er verunglückt
ver|ur|tei|len,
sie verurteilt,
die Verurteilung
ver|viel|fäl|ti|gen,
er vervielfältigt
ver|wah|ren,
sie verwahrt etwas
ver|wal|ten,
er verwaltet,
die Verwaltung
ver|wan|deln,
sie verwandelt,
die Verwandlung
ver|wandt,
die Verwandtschaft,
die Verwandte
ver|wech|seln,
er verwechselt,
die Verwechslung
ver|wei|gern,

sie verweigert,
die Verweigerung
der **Ver|weis**, die Verweise
ver|wel|ken,
sie verwelkt
ver|wen|den
→ wenden,
die Verwendung
ver|wir|ren, er verwirrt,
die Verwirrung
ver|wit|tern,
es verwittert,
die Verwitterung
ver|wöh|nen,
sie verwöhnt
ver|wun|den,
er verwundet sich,
die Verwundung,
die Verwundeten,
verwundbar
ver|wun|dert,
verwundern,
die Verwunderung
ver|zau|bert,
die Verzauberung
ver|zeh|ren, sie
verzehrt, der Verzehr
das **Ver|zeich|nis**,
die Verzeichnisse,
verzeichnen

verzeihen, er verzeiht,
ich verzieh,
sie hat verziehen,
die Verzeihung
verzichten,
sie verzichtet,
der Verzicht
verzieren, er verziert,
die Verzierung
verzögern → zögern,
die Verzögerung
verzweifeln,
sie verzweifelt,
die Verzweiflung
die [das] Vesper (Mahlzeit),
die Vespern, vespern
der Vetter, die Vettern
das Video, die Videos,
die Videothek
das Vieh, die Viehzucht
viel, mehr,
am meisten,
vielfältig, vielmals,
Vergleich: fiel → *fallen*
vielleicht
vier, vierzehn, vierzig,
vierfach, viertens,
das Viereck, viereckig
das Viertel, die Viertel,
· eine Viertelstunde

die Villa, die Villen
violett
die Violine (Geige),
die Violinen
der [das] Virus, die Viren
die Visite, die Visiten
das Visum, die Visa [Visen]
das Vitamin, die Vitamine
die Vitrine, die Vitrinen
der Vogel, die Vögel
die Vokabel,
die Vokabeln
der Vokal (Selbstlaut),
die Vokale
das Volk, die Völker
voll, völlig, vollenden,
vollkommen,
vollständig
der Volleyball,
die Volleybälle
vom (von dem)
von, voneinander
vor
voran, voranlaufen
voraus,
voraussichtlich,
die Voraussetzung,
im Voraus
vorbei, vorbeilaufen
vorbereiten,

er bereitet vor,
die Vorbereitung
vorbeugen,
sie beugt vor,
die Vorbeugung
das **Vorbild**, die Vorbilder,
vorbildlich
vordere,
das Vorderrad
die **Vorfahrt**
der **Vorfall**, die Vorfälle
der **Vorgang**, die
Vorgänge, vorgehen,
die Vorgänger
die **Vorgesetzte**,
die Vorgesetzten
vorgestern
vorhanden
der **Vorhang**,
die Vorhänge
vorher,
die Vorhersage
vorhin
vorig, vorige Woche
vorkommen
→ *kommen*,
es kommt vor
die **Vorlage**, die Vorlagen
vorläufig
vorlaut, vorlaut sein

vorlegen, er legt vor
vorlesen, sie liest vor,
ich las vor,
er hat vorgelesen
der **Vormittag**,
die Vormittage, am
Vormittag, vormittags
vorn, vorne, vornüber
der **Vorname**,
die Vornamen
vornehm
der **Vorort**, die Vororte
der **Vorrat**, die Vorräte,
vorrätig
vorsagen → sagen
der **Vorsatz**, die Vorsätze
die **Vorschau**
der **Vorschlag**,
die Vorschläge
die **Vorschrift**,
die Vorschriften
die **Vorsicht**, vorsichtig
die **Vorsilbe**,
die Vorsilben
der **Vorsprung**
der **Vorstand**,
die Vorstände
die **Vorstellung**,
die Vorstellungen,
vorstellen

A
B
C
D
E
F
G
H
I
J
K
L
M
N
O
P
Q
R
S
T
U
V
W
X
Y
Z

der **Vor**teil, die Vorteile,
vorteilhaft
der **Vor**trag, die Vorträge,
vortragen
vortrefflich
vorüber,
vorübergehend
die **Vor**wahl,
die Vorwahlen
vorwärts
vorwiegend
der **Vor**wurf, die Vorwürfe,
vorwerfen
der **Vor**zug, die Vorzüge,
vorzüglich
der **Vul**kan, die Vulkane,
vulkanisch

W

die **Waa**ge, die Waagen,
waagerecht
[waagrecht]
die **Wa**be, die Waben
die **Wa**che, die Wachen,
die Wächter

wachen, sie wacht,
wach, wachsam,
die Wachsamkeit
das **Wachs**, die Wachse,
das Bienenwachs
wachsen, er wächst,
ich wuchs,
sie ist gewachsen,
das Gewächs,
der Wuchs,
das Wachstum
wackeln, sie wackelt,
wackelig [wacklig]
die **Wa**de, die Waden
die **Waf**fe, die Waffen
die **Waf**fel, die Waffeln
wagen, er wagt,
das Wagnis,
waghalsig
der **Wa**gen, die Wagen,
das Wagenrad
der **Wag**gon [Wagon];
die Waggons
die **Wahl**, die Wahlen,
die Wähler, wählen,
Vergleich: → Wal
wahnsinnig,
der Wahnsinn
wahr, die Wahrheit,
wahrscheinlich,

wahrlich,
Vergleich: → war
während,
währenddessen
wahrnehmen
→ *nehmen*,
die Wahrnehmung
wahrsagen,
er wahrsagt,
die Wahrsagerin
wahrscheinlich
die **Währung**,
die Währungen
das **Wahrzeichen**,
die Wahrzeichen
die **Waise**, die Waisen,
das Waisenkind,
Vergleich: → Weise
der **Wal** (Meerestier),
die Wale,
Vergleich: → Wahl
der **Wald**, die Wälder
der **Wall** (Erdwall),
die Wälle
die **Wallfahrt**,
die Wallfahrten
die **Walnuss**,
die Walnüsse
das **Walross**, die Walrosse
die **Walze**, die Walzen,

walzen
wälzen, er wälzt sich
der **Walzer** (Tanz)
die **Wand**, die Wände
der **Wandel**, wandeln
wandern, sie wandert,
die Wanderer
[Wandrer],
die Wanderung
die **Wange**, die Wangen
wanken, er wankt
wann
die **Wanne**, die Wannen
die **Wanze**, die Wanzen
das **Wappen**, die Wappen
war → *sein*,
es war einmal,
Vergleich: → wahr
wäre → *sein*,
das wäre schön
die **Ware**, die Waren
warm, wärmer,
am wärmsten
die **Wärme**, wärmen,
die Wärmflasche
warnen, sie warnt,
die Warnung
Warschau (Hauptstadt
von Polen)
ihr **wart**, du warst → *sein*

A
B
C
D
E
F
G
H
I
J
K
L
M
N
O
P
Q
R
S
T
U
V
W
X
Y
Z

warten, er wartet,
das Wartezimmer,
die Wärter

warum

die Warze, die Warzen

was

die Wäsche,
die Wäscherei,
der Waschlappen

waschen, sie wäscht,
ich wusch,
er hat gewaschen

das Wasser, wasserdicht,
der Wasserhahn,
wässrig

waten, er watet durch
das Watt

die Watsche (Ohrfeige),
die Watschen

watscheln,
sie watschelt

das Watt, 40 Watt,
das Wattenmeer

die Watte, wattiert

das WC (Toilette),
die WCs [WC]

weben, er webt,
der Webrahmen

wechseln,
sie wechselt,

der Wechsel

der Weck (Brötchen) [die
Wecke, der Wecken],
die Wecke [Wecken]

wecken, sie weckt ihn
auf, der Wecker

wedeln, er wedelt

weder,
weder er noch sie

weg, er geht weg,
wegfahren,
weggehen,
weglaufen,
wegnehmen,
wegwerfen

der Weg, die Wege,
der Wegweiser

wegen,
wegen der Tiere

weh, es tut weh,
wehleidig

die Wehe, die Wehen,
die Schneewehe,
die Geburtswehen

wehen, der Wind weht

wehren, sie wehrt
sich, wehrlos

das Wehwehchen,
die Wehwehchen

das Weib, die Weiber,

weiblich
weich
die **Weiche**, die Weichen
weichen, er weicht,
ich wich,
sie ist gewichen
die **Weide**, die Weiden
sich **weigern**, sie weigert
sich, die Weigerung
weihen, die Weihe,
der Weihrauch
der **Weiher** (Teich),
die Weiher
Weihnachten,
die Weihnacht,
weihnachtlich,
der Weihnachtsbaum
weil
die **Weile**,
nach einer Weile
der **Wein**, die Weine,
die Weinlese
weinen, sie weint,
weinerlich
weise, weise sein, die
Weisheit, die Weisen,
weismachen
die **Weise**,
die Art und Weise,
Vergleich: → Waise

weisen, er weist die
Richtung, ich wies,
sie hat gewiesen
weiß
Weißrussland,
die Weißrussen,
weißrussisch
weit, weiter,
am weitesten, ohne
Weiteres, die Weite
weiterfahren
→ *fahren*,
weitergehen,
weiterlaufen,
weitersagen
weitsichtig
der **Weizen**,
das Weizenmehl
welch, welche,
welcher, welches
welken, die Blume
welkt, sie ist welk
die **Welle**, die Wellen
der **Wellensittich**,
die Wellensittiche
der **Welpe**, die Welpen
die **Welt**, die Welten, das
Weltall, weltberühmt
wem, wem gehört es?
wen, wen magst du?

A
B
C
D
E
F
G
H
I
J
K
L
M
N
O
P
Q
R
S
T
U
V
W
X
Y
Z

die **Wendeltreppe**,
  die Wendeltreppen
wenden, er wendet
  das Auto, wendig,
  die Wendung
wenden, er wendet
  sich an sie,
  ich wandte,
  sie hat gewandt
wenig, wenigstens
wenn, wenn ich reich
  wäre, ...
wer, wer bist du?
werben, sie wirbt,
  ich warb,
  er hat geworben,
  die Werbung
werden, du wirst,
  er wird, ich wurde,
  sie ist geworden
werfen, sie wirft,
  ich warf, er hat
  geworfen, der Wurf
die **Werft**, die Werften
das **Werk**, die Werke,
  die Werkstatt, das
  Werkzeug, werktags
der **Wert**, die Werte,
  wertvoll, wertlos,
  wert sein, werten

das **Wesen**, die Wesen
  wesentlich
die **Weser** (Fluss)
  weshalb
die **Wespe**, die Wespen
  wessen
die **Weste**, die Westen
der **Westen**, westlich,
  der Western
  Westfalen,
  die Westfalen,
  westfälisch
  weswegen
wetten, er wettet,
  die Wette,
  der Wettbewerb
das **Wetter**,
  der Wetterbericht,
  die Wettervorhersage
wetzen, sie wetzt
  ein Messer
der **Wicht**, die Wichte, das
  Wichtelmännchen
wichtig,
  die Wichtigkeit
wickeln, er wickelt,
  der Wickel
der **Widder**, die Widder
wider (gegen, entgegen),
  der Widerwille,

widerwillig,
der Widerstand,
widersprechen,
der Widerspruch,
widerrufen,
die Widerworte,
widerlegen,
widerlich,
Vergleich: → wieder
widmen, er widmet,
die Widmung
wie, wie viel?,
wie bitte?
wieder (noch mal,
erneut), wiederholen,
wiederum,
die Wiederholung,
das Wiedersehen,
Vergleich: → wider
wiegen (Gewicht),
er wiegt, ich wog,
sie hat gewogen
wiegen (schaukeln), sie
wiegt, die Wiege
wiehern, es wiehert
Wien (Hauptstadt von
Österreich), die
Wiener, wienerisch
Wiesbaden
die Wiese, die Wiesen

das Wiesel, die Wiesel
wieso, wieso ist es so?
das Wiewort (Adjektiv),
die Wiewörter
der Wikinger,
die Wikinger
wild, wilder, am
wildesten, wildfremd
das Wild, die Wildnis,
das Wildschwein
der Wille, willensstark,
willig
willkommen
willkürlich, die Willkür
Wilna (Hauptstadt
von Litauen)
wimmeln, es wimmelt
wimmern, sie wimmert
der Wimpel, die Wimpel
die Wimper, die Wimpern
der Wind, die Winde,
windig, windstill,
die Windstärke
die Windel, die Windeln
winden, er windet,
ich wand,
sie hat gewunden,
die Windung
der Winkel, die Winkel
winken, sie winkt

A
B
C
D
E
F
G
H
I
J
K
L
M
N
O
P
Q
R
S
T
U
V
W
X
Y
Z

winseln, sie winselt,
das Winseln
der Winter, die Winter,
winterlich
der Winzer, die Winzer
winzig, winziges,
winziger,
der Winzling
der Wipfel, die Wipfel
wippen, er wippt,
die Wippe
wir
wirbeln, sie wirbelt,
der Wirbel,
der Wirbelwind,
die Wirbelsäule
wird → *werden*
wirken, es wirkt,
die Wirkung, wirksam
wirklich,
die Wirklichkeit
wirr, der Wirrwarr
der Wirsing (Wirsingkohl)
die Wirtin, die Wirte,
der Wirt,
das Wirtshaus
die Wirtschaft,
wirtschaften
wischen, er wischt,
der Wischer

wispern, sie wispert
wissen, er weiß,
ich wusste,
sie hat gewusst,
das Wissen,
die Wissenschaft,
die Wissenschaftler
wittern, er wittert,
die Witterung
die Witwe, die Witwen,
der Witwer
der Witz, die Witze, witzig,
der Witzbold, witzlos
wo
woanders
wobei
die Woche, die Wochen,
wochenlang,
wöchentlich,
das Wochenende
wodurch
wofür
die Woge, die Wogen
woher, wohin
wohl, wohlhabend,
der Wohlstand,
das Wohl
wohnen, sie wohnt,
die Wohnung,
wohnlich

der **Wolf**, die Wölfe

die **Wolke**, die Wolken, wolkig

die **Wolle**, das Wollknäuel
wollen, er will, ich wollte, sie hat gewollt
woran, womit, worauf, woraus, worin, worüber, worum, wovon, wovor, wozu

das **Wort**, die Wörter [Worte], wörtlich, das Wörterbuch

das **Wrack**, die Wracks [Wracke]
wringen, sie wringt, ich wrang, er hat gewrungen
wuchern, es wuchert

die **Wucht**, wuchtig
wühlen, er wühlt

die **Wunde**, die Wunden, wund

das **Wunder**, die Wunder, wunderbar, wundervoll
sich **wundern**, sie wundert sich

der **Wunsch**, die Wünsche, wünschen

die **Würde**, die Würden

der **Wurf**, die Würfe

der **Würfel**, die Würfel, würfeln
würgen, er würgt

der **Wurm**, die Würmer, wurmstichig

die **Wurst**, die Würste, das Würstchen

die **Würze**, würzen, würzig

die **Wurzel**, die Wurzeln

die **Wüste**, die Wüsten, wüst

die **Wut**, wütend, wüten

die **X-Beine**
x-beliebig
x-fach
x-mal

das **Xylofon** [Xylophon] (Musikinstrument), die Xylofone

A
B
C
D
E
F
G
H
I
J
K
L
M
N
O
P
Q
R
S
T
U
V
W
X
Y
Z

Y

der **Yak** [Jak] (asiatisches Rind), die Yaks

der **Yen** (japanische Währung), die Yen [Yens]

der **Yeti**, die Yetis

das [der] **Yoga** [Joga]

das **Ypsilon**, die Ypsilons

Z

die **Zacke** [der Zacken], die Zacken, zackig, gezackt

zaghaft

Zagreb (Hauptstadt von Kroatien)

zäh, zäher, am zähesten, die Zähigkeit

die **Zahl**, die Zahlen, zahllos, zahlreich

zahlen, er zahlt, die Zahlung

zählen, sie zählt, der Zähler, die Zählung

zahm, zähmen, gezähmt, die Zähmung

der **Zahn**, die Zähne, die Zahnpasta

die **Zange**, die Zangen

zanken, sie zankt, zänkisch, der Zank

der **Zapfen**, die Zapfen, das Zäpfchen, zapfen

zappeln, er zappelt, zappelig [zapplig]

zart, die Zartheit

zärtlich, die Zärtlichkeit

zaubern, sie zaubert, die Zauberei, die Zauberer

der **Zaum**, die Zäume, das Zaumzeug

der **Zaun**, die Zäune

das **Zebra**, die Zebras

die **Zeche**, die Zechen

die **Zecke**, die Zecken

der **Zeh** [die Zehe], die Zehen,

die Zehenspitzen
zehn, zehntausend,
zehnfach, zehntens,
der Zehner,
ein Zehntel
zehren, er zehrt
das **Zeichen**, die Zeichen
zeichnen, er zeichnet,
die Zeichnung,
die Zeichner
zeigen, sie zeigt,
der Zeiger,
der Zeigefinger
die **Zeile**, die Zeilen
die **Zeit**, die Zeiten, eine
Zeit lang, zeitgemäß,
zeitig, zeitweise,
der Zeitvertreib
die **Zeitschrift**,
die Zeitschriften
die **Zeitung**, die Zeitungen
die **Zelle**, die Zellen
das **Zelt**, die Zelte, zelten
der **Zement**, zementieren
die **Zensur**, die Zensuren,
zensieren
der [das] **Zentimeter** [cm],
die Zentimeter
der **Zentner** [Ztr.],
die Zentner

zentral, die Zentrale
das **Zentrum**, die Zentren
der **Zeppelin**,
die Zeppeline
zerbrechen,
er zerbricht,
ich zerbrach, sie
ist/hat zerbrochen,
zerbrechlich
zerdrücken,
sie zerdrückt
zerfetzen, sie zerfetzt
zerkleinern,
er zerkleinert
zerknüllen,
sie zerknüllt
zerquetschen,
er zerquetscht
zerreißen → *reißen*
zerren, er zerrt,
die Zerrung
zersplittern,
es zersplittert
zerstören, sie zerstört,
die Zerstörung
zerstreuen → *streuen*,
die Zerstreuung
zetern, er zetert
der **Zettel**, die Zettel
das **Zeug**

A
B
C
D
E
F
G
H
I
J
K
L
M
N
O
P
Q
R
S
T
U
V
W
X
Y
Z

der **Zeuge**, die Zeugen

das **Zeugnis**,

   die Zeugnisse

die **Zicke** (Ziege),

   die Zicken, zickig

im **Zickzack** rennen

die **Ziege**, die Ziegen

der **Ziegel**, die Ziegel

ziehen, sie zieht,

   ich zog,

   er hat gezogen,

   die Ziehung

das **Ziel**, die Ziele, zielen,

   ziellos, zielstrebig

ziemlich

die **Zier** [Zierde],

   die Zierleiste

sich **zieren**, er ziert sich

zierlich

die **Ziffer**, die Ziffern

die **Zigarette**,

   die Zigaretten

die **Zigarre**, die Zigarren

das **Zimmer**, die Zimmer,

   der Zimmermann

zimperlich

der **Zimt**, Zimt und Zucker

das **Zink**, das Zinkblech

das **Zinn** (Metall)

der **Zins**, die Zinsen

der **Zipfel**, die Zipfel,

   die Zipfelmütze

der **Zirkel**, die Zirkel

der **Zirkus** [Circus],

   die Zirkusse

zirpen, die Grille zirpt

zischen, es zischt

das **Zitat**, die Zitate,

   zitieren

die **Zitrone**, die Zitronen,

   die Zitrusfrucht

zittern, sie zittert,

   zittrig [zitterig]

die **Zitze**, die Zitzen

zivil, die Zivilisten,

   die Zivilisation

zögern, er zögert,

   zögernd

der **Zoll**, die Zölle, die

   Zöllner, verzollen

der **Zollstock**,

   die Zollstöcke

die **Zone**, die Zonen

der **Zoo**, die Zoos

der **Zopf**, die Zöpfe

der **Zorn**, zornig

zottelig [zottlig]

zu

zuallererst,

   zuallerletzt

das **Zubehör**
zubereiten, er bereitet
zu, die Zubereitung
die **Zucht**, züchten,
die Züchtung
zucken, sie zuckt,
die Zuckung
der **Zucker**, zuckern,
zuckersüß
zudecken, sie deckt
zu, zugedeckt
zueinander
zu Ende
zuerst
die **Zufahrt**, die Zufahrten
der **Zufall**, die Zufälle,
zufällig
zufrieden,
zufrieden sein,
die Zufriedenheit
der **Zug**, die Züge
zugeben → *geben*,
die Zugabe
der **Zügel**, die Zügel,
zügeln
zügig (schnell)
zugleich
zugrunde [zu Grunde]
gehen
zugunsten

[zu Gunsten]
zuhalten → *halten*
das **Zuhause**, unser
Zuhause, zu Hause
[zuhause] sein
zuhören, sie hört zu,
die Zuhörer
zuklappen → klappen
zukleben → kleben
zuknöpfen, sie knöpft
zu, zugeknöpft
die **Zukunft**, zukünftig
zulassen → *lassen*
zulässig
zuletzt
zuliebe, mir zuliebe
zum (zu dem)
zum Beispiel [z.B.]
zumachen → machen
zumindest
zumuten, er mutet zu,
die Zumutung
zunächst
der **Zuname** (Familien-
name), die Zunamen
zünden, sie zündet,
die Zündung,
zündeln
zunehmen, er nimmt
zu, die Zunahme

A
B
C
D
E
F
G
H
I
J
K
L
M
N
O
P
Q
R
S
T
U
V
W
X
Y
Z

die **Zu|nei|gung**
zünf|tig
die **Zun|ge**, die Zungen
zün|geln, sie züngelt
zup|fen, er zupft
zur (zu der)
zu|recht|kom|men
→ *kommen,*
sich zurechtfinden
zür|nen, er zürnt
zu|rück, zurückgeben,
zurückgehen,
zurückkehren,
zurückkommen
der **Zu|ruf**, die Zurufe,
zurufen
zur|zeit (jetzt)
die **Zu|sa|ge**, die Zusagen
zu|sam|men,
zusammen sein,
die **Zu|sam|men|ar|beit**,
zusammenarbeiten
zu|sam|men|bre|chen,
er bricht zusammen,
der Zusammenbruch
zu|sam|men|fas|sen, er
fasst zusammen, die
Zusammenfassung
zu|sam|men|hän|gen,
es hängt zusammen,

der Zusammenhang
zu|sam|men|set|zen, sie
setzt zusammen, die
Zusammensetzung
zu|sam|men|sto|ßen,
er stößt zusammen,
der Zusammenstoß
der **Zu|satz**, die Zusätze
zu|sätz|lich
der **Zu|schau|er**,
die Zuschauer,
zuschauen
zu|schlie|ßen
→ *schließen*
zu|se|hen → *sehen*
zu|se|hends
der **Zu|stand**,
die Zustände,
zustande bringen
zu|stän|dig
zu|stim|men, sie stimmt
zu, die Zustimmung
die **Zu|tat**, die Zutaten
zu|trau|lich,
das Zutrauen
der **Zu|tritt**, kein Zutritt
zu|ver|läs|sig,
die Zuverlässigkeit
zu|ver|sicht|lich,
die Zuversicht

zu viel, zu viele
zuvor, zuvorkommen
zuweilen
die Zuwendung,
   die Zuwendungen
zu wenig, zu wenige
zuwider
der Zwang, die Zwänge,
   zwängen, gezwängt
zwanzig, zwanzigfach
zwar
der Zweck, die Zwecke,
   zwecklos, zwecks,
   zweckmäßig
zwei, zweimal,
   zu zweit, zweifach,
   zweitens
der Zweifel, die Zweifel,
   zweifeln, zweifellos,
   zweifelhaft
der Zweig, die Zweige
der Zwerg, die Zwerge
die Zwetsche (Pflaume)
   [Zwetschge,
   Zwetschke],
   die Zwetschen
zwicken, sie zwickt,
   die Zwickmühle
der Zwieback,
   die Zwiebäcke

die Zwiebel, die Zwiebeln
zwiespältig,
   der Zwiespalt
der Zwilling, die Zwillinge
zwingen, er zwingt,
   ich zwang,
   sie hat gezwungen
der Zwinger (Tierkäfig),
   die Zwinger
zwinkern, sie zwinkert
der Zwirn, die Zwirne
zwischen,
   zwischendurch,
   der Zwischenfall
der Zwist (Streit), die Zwiste
zwitschern, der
   Vogel zwitschert
zwölf, zwölffach,
   zwölfmal, zwölftens
der Zylinder,
   die Zylinder,
   der Zylinderhut,
   zylindrisch
Zypern, die Zyprer,
   zyprisch

A
B
C
D
E
F
G
H
I
J
K
L
M
N
O
P
Q
R
S
T
U
V
W
X
Y
Z

Englisch

Deutsch – Englisch

A

Abend	*evening*
Abendessen	*dinner*
aber	*but*
Abfall	*rubbish*
acht	*eight*
achtzehn	*eighteen*
achtzig	*eighty*
Affe	*monkey*
Afrika	*Africa*
alle	*all, everybody*
alt	*old*
Amerika	*America*
amerikanisch	*American*
Ampel	*traffic lights*
an	*at, by*
Ananas	*pineapple*
ändern	*to change*
anfangen	*to begin*
Angst	*fear*
anhalten	*to stop*
ankommen	*to arrive*
anrufen	*to call*
anschauen	*to watch*
Antwort	*answer*
anziehen	*to put on*

Apfel	*apple*
Apfelsine	*orange*
April	*April*
arbeiten	*to work*
Arbeitsstelle	*job*
arm	*poor*
Arm	*arm*
Armbanduhr	*watch*
Arzt, Ärztin	*doctor*
Asien	*Asia*
atmen	*to breathe*
auch	*too, also*
auf	*on*
auf Wieder-sehen	*goodbye*
aufstehen	*to get up*
Auge	*eye*
Augenblick	*moment*
August	*August*
aus	*from*
Ausflug	*trip*
Ausgang	*exit*
Australien	*Australia*
ausziehen	*to take off*
Auto	*car*

B

Baby	*baby*
backen	*to bake*
Bäcker	*baker*
Bäckerei	*bakery*
Backofen	*oven*
baden	*to bathe*
Badezimmer	*bathroom*
Bahnhof	*station*
Ball	*ball*
Banane	*banana*
Bär	*bear*
Bauch	*tummy*
bauen	*to build*
Bauer, Bäuerin	*farmer*
Bauernhof	*farm*
Baum	*tree*
Beere	*berry*
bei	*at, by*
Bein	*leg*
Beispiel	*example*
bekommen	*to get*
benutzen	*to use*
beobachten	*to watch*
bequem	*comfortable*
Berg	*mountain*

Besen	*broom*
besichtigen	*to visit*
besser	*better*
Bett	*bed*
beugen	*to bend*
bezahlen	*to pay*
Bild	*picture*
billig	*cheap*
Birne	*pear*
bitte	*please*
Blatt	*leaf* (pl.: leaves)
blau	*blue*
bleiben	*to stay*
Bleistift	*pencil*
Blume	*flower*
Bluse	*blouse*
Boden	*floor*
Bohne	*bean*
Boot	*boat*
böse	*bad*
braten	*to fry*
brauchen	*to need*
braun	*brown*
Brief	*letter*
Briefkasten	*letter box*
Briefmarke	*stamp*
Brille	*glasses*

Brot	*bread*	Dienstag	*Tuesday*
Brötchen	*roll*	dies, dieses	*this*
Brücke	*bridge*	Donnerstag	*Thursday*
Bruder	*brother*	doppelt	*double*
Buch	*book*	Dorf	*village*
Burg, Schloss	*castle*	Drachen	*kite*
Bürste	*brush*	dreckig	*dirty*
Bus	*bus*	drehen	*to turn*
Bushaltestelle	*bus stop*	drei	*three*
Butter	*butter*	dreißig	*thirty*
		dreizehn	*thirteen*
		du	*you*
C		dumm	*stupid*
		dunkel	*dark*
Computer	*computer*	dünn	*thin*
		durch	*through*
		dürfen	*may*
D		durstig	*thirsty*
		Dusche	*shower*
da, dort	*there*		
Dach	*roof*	**E**	
danke	*thank you*		
Datum	*date*	Ecke	*corner*
dein	*your*	Ei	*egg*
denken	*to think*	ein	*a, an*
der, die, das	*the*	einfach	*easy*
deutsch	*German*	Eingang	*entrance*
Deutschland	*Germany*		
Dezember	*December*		

einhundert	one hundred
einige	some
einkaufen	to go shopping
Einladung	invitation
eins	one
Eiscreme	ice cream
elf	eleven
Eltern	parents
Engel	angel
England	England
englisch	English
Ente	duck
Entschuldi-gung!	sorry
er	he
Erdbeere	strawberry
Erde	earth
erste, erster	first
erzählen	to tell
es	it
essen	to eat
Essen	food
Esszimmer	dining room
etwa	about
euer, eure	your

F

Fahne	flag
Fahrer	driver
Fahrkarte	ticket
Fahrrad	bike
Fahrrad fahren	to cycle, to ride
fallen	to fall
falsch	wrong
Familie	family
fangen	to catch
Farbe	colour
Februar	February
Feder	feather
Feier	party
fein	fine
Feld	field
Felsen	rock
Fenster	window
Ferien	holidays
fern	far
fernsehen	to watch TV
Fernseher	television
Feuer	fire
Filzstift	felt tip
finden	to find

Finger	*finger*
Fisch	*fish* (pl.: fish)
Flasche	*bottle*
Fleisch	*meat*
Fliege	*fly*
fliegen	*to fly*
Flug	*flight*
Flügel	*wing*
Flughafen	*airport*
Flugzeug	*plane*
Flur	*hall*
Fluss	*river*
folgen	*to follow*
Frage	*question*
fragen	*to ask*
Frau	*woman*
	(pl.: women)
Freitag	*Friday*
Freund	*friend*
freundlich	*friendly*
frostig	*frosty*
Früchte	*fruit*
früh	*early*
Frühling	*spring*
Frühstück	*breakfast*
Fuchs	*fox*
Füller	*fountain pen*

fünf	*five*
fünfzehn	*fifteen*
fünfzig	*fifty*
für	*for*
Fuß	*foot* (pl.: feet)
Fußball	*football*
Fußgänger	*pedestrian*
füttern	*to feed*

G

Gabel	*fork*
Garten	*garden*
Gast	*guest*
geben	*to give*
Geburtstag	*birthday*
gefährlich	*dangerous*
Gefühl	*feeling*
gegenüber	*opposite*
geheim	*secret*
gehen	*to go*
gehören	*to belong*
gelb	*yellow*
Geld	*money*
Gemüse	*vegetable*
genug	*enough*
geradeaus	*straight ahead*

Geschäft	*shop*	Hals	*neck*
Geschenk	*present*	Hamster	*hamster*
Geschichte	*story*	Hand	*hand*
geschlossen	*closed*	Handschuhe	*gloves*
Gesicht	*face*	Handtuch	*towel*
Gespenst	*ghost*	hängen	*to hang*
gestern	*yesterday*	Hauptstadt	*capital*
Getränk	*drink*	Haus	*house*
Gitarre	*guitar*	Hausaufgaben	*homework*
Glas (Trinkgl.)	*glass*	Haustier	*pet*
glücklich	*happy*	Haut	*skin*
Gras	*grass*	Heft (Schulheft)	*exercise book*
grau	*grey*	Hefter	*folder*
groß	*big, tall, great*	heiraten	*to marry*
großartig	*great*	heiß	*hot*
grün	*green*	helfen	*to help*
Gurke	*cucumber*	hellblau	*light blue*
Gürtel	*belt*	Helm	*helmet*
gut	*good, well*	Hemd	*shirt*
		Herbst	*autumn*
		Herd	*cooker*

H

		Herz	*heart*
Haar, Haare	*hair*	heute	*today*
haben	*to have*	hier	*here*
halb	*half*	Himmel	*sky*
hallo	*hello*	hinauf	*up*
Halloween	*Halloween*	hinter	*behind*

hinunter	*down*	Jacke	*jacket*
Hobby	*hobby*	Jahr	*year*
hoch	*high*	Jahreszeit	*season*
Honig	*honey*	Januar	*January*
hören	*to hear*	Jeans	*jeans*
Hose	*trousers*	jeder	*everybody*
Hügel	*hill*	jetzt	*now*
Huhn	*chicken*	Joghurt	*yoghurt*
Hund	*dog*	Juli	*July*
hundert	*hundred*	jung	*young*
hungrig	*hungry*	Junge	*boy*
Hut	*hat*	Juni	*June*

I

ich	*I*
ihm, ihn	*him*
ihr	*you; her, their*
immer	*always*
in	*in*
innen	*inside*
Insel	*island*
Irland	*Ireland*

J

ja	*yes*

K

Kaffee	*coffee*
Käfig	*cage*
Kalender	*calendar*
kalt	*cold*
Kamel	*camel*
Kamm	*comb*
Kaninchen	*rabbit*
Karte (Land-karte)	*map*
Kartoffel	*potato*
Käse	*cheese*
Katze	*cat*

kaufen	*to buy*	Kopf	*head*
Keks	*biscuit*	Körper	*body*
Keller	*cellar*	krank	*ill, sick*
Kerze	*candle*	Krankenhaus	*hospital*
Ketchup	*ketchup*	Kreide	*chalk*
Kind	*child*	Kreis	*circle*
	(pl.: children)	Kreuzung	*crossroads*
Kino	*cinema*	Krieg	*war*
Kirche	*church*	Küche	*kitchen*
Kirsche	*cherry*	Kuchen	*cake*
Kiste	*box*	Kuh	*cow*
Klasse	*class*	Kühlschrank	*fridge*
Klavier	*piano*	Kürbis	*pumpkin*
Kleber	*glue*	kurz	*short*
Kleid	*dress*	küssen	*to kiss*
Kleidung	*clothes*	Küste	*coast*
klein	*little, small*		
klettern	*to climb*		
klingeln	*to ring*	**L**	
Knie	*knee*		
Knopf	*button*	Lampe	*lamp*
kochen	*to cook*	Land	*country*
Koffer	*suitcase*	lang	*long*
kommen	*to come*	langsam	*slow*
König	*king*	lassen	*to let*
Königin	*queen*	laut	*loud*
können	*can*	leben	*to live*
		Lebensmittel	*food*

leer	*empty*
legen	*to put*
Lehrer(in)	*teacher*
leicht	*easy*
Leiter	*ladder*
lernen	*to learn*
lesen	*to read*
Leute	*people*
Licht	*light*
lieb	*kind, dear*
lieben	*to love*
Lieblings...	*favourite ...*
Lied	*song*
lila	*purple*
Lineal	*ruler*
links	*left*
Lippe	*lip*
Löffel	*spoon*
Löwe	*lion*
lustig	*funny*
Lutscher	*lolly*

M

Mädchen	*girl*
Mai	*May*
malen	*to paint*

Mann	*man (pl.: men)*
Mannschaft	*team*
Mantel	*coat*
Mäppchen	*pencil case*
Markt	*market*
Marmelade	*jam, marmalade*
März	*March*
Mathematik	*maths*
Maus	*mouse (pl.: mice)*
Meer	*sea*
mehr	*more*
mein, meine	*my*
Messer	*knife (pl.: knives)*
Metzger	*butcher*
Milch	*milk*
Mineralwasser	*mineral water*
Minute	*minute*
mir, mich	*me*
mit	*with*
Mittagessen	*lunch*
Mittwoch	*Wednesday*
mögen	*to like*
Möhre	*carrot*
Monat	*month*
Mond	*moon*

Montag	*Monday*
morgen	*tomorrow*
Morgen	*morning*
Motorrad	*motorbike*
müde	*tired*
Müll	*rubbish*
Mund	*mouth*
Musik	*music*
müssen	*must*
Mutter	*mother (mum)*
Mütze	*cap*

nett	*nice*
neu	*new*
neun	*nine*
neunzehn	*nineteen*
neunzig	*ninety*
nicht	*not*
nie	*never*
Norden	*north*
November	*November*
Null	*zero*
nur	*only*
Nuss	*nut*

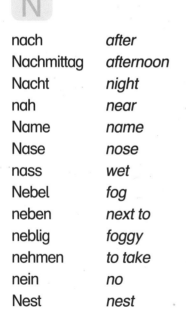

nach	*after*
Nachmittag	*afternoon*
Nacht	*night*
nah	*near*
Name	*name*
Nase	*nose*
nass	*wet*
Nebel	*fog*
neben	*next to*
neblig	*foggy*
nehmen	*to take*
nein	*no*
Nest	*nest*

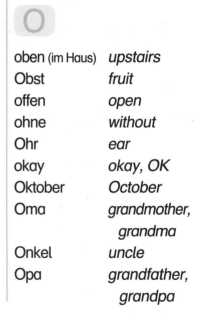

oben (im Haus)	*upstairs*
Obst	*fruit*
offen	*open*
ohne	*without*
Ohr	*ear*
okay	*okay, OK*
Oktober	*October*
Oma	*grandmother, grandma*
Onkel	*uncle*
Opa	*grandfather, grandpa*

orange	*orange*
Orangensaft	*orange juice*
Ostern	*Easter*

P

Palast	*palace*
Pampelmuse	*grapefruit*
Papa	*dad, daddy*
Paprika	*bell pepper*
Park	*park*
Pause	*break*
Pfanne	*pan*
Pfeffer	*pepper*
Pferd	*horse*
Pfirsich	*peach*
Pflaume	*plum*
Pilz	*mushroom*
pink	*pink*
Pinsel	*paintbrush*
Pizza	*pizza*
Platz	*place*
Polizei	*police*
Pommes Frites	*chips*
Post	*post office*
Pullover	*pullover*
Puppe	*doll*

Puzzle	*puzzle*

R

Radiergummi	*rubber*
Radio	*radio*
Ranzen	*satchel*
Raupe	*caterpillar*
rechts	*right*
Regal	*shelves*
Regen	*rain*
Regenbogen	*rainbow*
Regenschauer	*shower*
Regenschirm	*umbrella*
regnerisch	*rainy*
reisen	*to travel*
reiten, fahren	*to ride*
rennen	*to run*
reparieren	*to repair*
Rock	*skirt*
Rose	*rose*
rot	*red*
Rücken	*back*
Rutsche	*slide*

S

Saft	*juice*
sagen	*to say*
Salat	*salad*
Salz	*salt*
sammeln	*to collect*
Samstag	*Saturday*
Sandalen	*sandals*
Sandkasten	*sandpit*
Sandwich	*sandwich*
sauber	*clean*
sauer	*sour*
Schachtel	*box*
Schaf	*sheep*
	(pl.: sheep)
Schal	*scarf*
	(pl.: scarves)
Schauer	*shower*
Schaukel	*swing*
scheinen	*to shine*
Schere	*scissors*
schicken	*to send*
Schiff	*ship*
Schinken	*ham*
Schlafzimmer	*bedroom*
Schlange	*snake*

schlecht	*bad*
schließen	*to close, to shut*
Schlitten	*sledge*
Schloss, Burg	*castle*
schmecken	*to taste*
Schmetterling	*butterfly*
schmutzig	*dirty*
Schneeball	*snowball*
schneiden	*to cut*
schnell	*fast*
Schokolade	*chocolate*
schön	*beautiful, nice*
Schornstein	*chimney*
Schottland	*Scotland*
Schrank	*wardrobe*
(für Kleider)	
schreiben	*to write*
Schreibtisch	*desk*
Schuhe	*shoes*
Schule	*school*
Schüler(in)	*pupil*
Schultasche	*schoolbag*
Schulter	*shoulder*
Schüssel	*bowl*
schütteln	*to shake*

schwarz	*black*	Snowboard	*snowboard*
Schwein	*pig*	Socken	*socks*
Schwester	*sister*	Sofa	*sofa*
schwierig	*difficult*	Sohn	*son*
schwimmen	*to swim*	Sommer	*summer*
sechs	*six*	Sonne	*sun*
sechzehn	*sixteen*	Sonnenbrille	*sunglasses*
sechzig	*sixty*	sonnig	*sunny*
See	*lake*	Sonntag	*Sunday*
sehen	*to see*	Spaghetti	*spaghetti*
sehr	*very*	Spaß	*fun*
Seife	*soap*	spät	*late*
Seil	*rope*	Spiegel	*mirror*
sein	*to be*	Spiel	*game*
sein, seine	*his*	spielen	*to play*
Seite	*page*	Spielplatz	*playground*
Sekunde	*second*	Spielzeug	*toy*
September	*September*	Spinne	*spider*
sie (Einzahl)	*she, her*	Spitzer	*sharpener*
sie (Mehrzahl)	*they, them*	Sport	*sport*
sieben	*seven*	springen	*to jump*
siebzehn	*seventeen*	Stadt (klein)	*town*
siebzig	*seventy*	Stadt (groß)	*city*
Sieger(in)	*winner*	stehen	*to stand*
singen	*to sing*	stellen	*to put*
sitzen	*to sit*	Stern	*star*
Skateboard	*skateboard*	Stiefel	*boot (pl.: boots)*

Stift	*pen*
Strand	*beach*
Straße	*street, road*
Straßenbahn	*tram*
Streifen	*stripe*
Strümpfe	*stockings*
Stück	*piece*
Stuhl	*chair*
Stunde	*hour*
Stundenplan	*timetable*
Sturm	*storm*
Supermarkt	*supermarket*
Suppe	*soup*
süß, Süßigkeit	*sweet*
Sweatshirt	*sweatshirt*

T

Tafel	*blackboard*
Tag	*day*
Tal	*valley*
Tante	*aunt*
tanzen	*to dance*
Tasche	*bag*
Taschenlampe	*torch*
Tasse	*cup*
Taxi	*taxi*

Tee	*tea*
Teller	*plate*
Tennis	*tennis*
teuer	*expensive*
tief	*deep*
Tier	*animal*
Tisch	*table*
Tischtennis	*table tennis*
Toast	*toast*
Tochter	*daughter*
Toilette	*toilet*
Tomate	*tomato*
Topf	*pot*
Tor	*goal*
Traktor	*tractor*
Traum	*dream*
traurig	*sad*
treffen	*to meet*
Treppe	*stairs*
trinken	*to drink*
trocken	*dry*
Trommel	*drum*
Tschüss	*bye*
T-Shirt	*T-shirt*
tun	*to do*
Tunnel	*tunnel*
Tür	*door*

U

U-Bahn	*underground*
über	*about*
Übung	*exercise*
Uhr	*watch, clock*
und	*and*
uns	*us*
unser, unsere	*our*
unten (im Haus)	*downstairs*
unter	*under*
Unterhose	*underpants*
Urlaub	*holidays*

V

Vater	*father (dad)*
vergessen	*to forget*
verkaufen	*to sell*
verrückt	*crazy*
verschwinden	*to disappear*
verstecken	*to hide*
verstehen	*to understand*
viel	*much*
viele	*many, a lot of*
vielleicht	*perhaps*
vier	*four*

vierzehn	*fourteen*
vierzig	*forty*
violett	*purple*
Vogel	*bird*
von	*from, by*
vor	*in front of*
Vormittag	*morning*

W

Wald	*forest*
Wand	*wall*
wann	*when*
warm	*warm*
warten	*to wait*
warum	*why*
was	*what*
waschen	*to wash*
Wasser	*water*
Wecker	*alarm clock*
weich	*soft*
Weihnachten	*Christmas*
weil	*because*
weiß	*white*
weit	*far*
Welt	*world*
wer	*who*

Wetter	*weather*
wie	*how*
wieder	*again*
wiederholen	*to repeat*
Wiese	*meadow*
wild	*wild*
willkommen	*welcome*
Wind	*wind*
windig	*windy*
Winter	*winter*
wir	*we*
wissen	*to know*
Witz	*joke*
wo	*where*
Woche	*week*
Wochenende	*weekend*
Wohnung	*flat*
Wohnzimmer	*living room*
Wolke	*cloud*
wolkig	*cloudy*
wollen	*to want*
Wort	*word*
wünschen	*to wish*
Würfel	*dice*
Wurst	*sausage*

Z

Zahl	*number*
Zahn	*tooth* (pl.: teeth)
Zauberer	*wizard*
Zaun	*fence*
Zebra	*zebra*
Zeh	*toe*
zehn	*ten*
zeichnen	*to draw*
zeigen	*to show*
Zeit	*time*
Ziege	*goat*
ziehen	*to pull*
Zimmer	*room*
Zitrone	*lemon*
Zucker	*sugar*
Zug	*train*
zuhören	*to listen*
Zunge	*tongue*
zurück	*back*
zwanzig	*twenty*
zwei	*two*
Zwiebel	*onion*
zwischen	*between*
zwölf	*twelve*

Englisch

Bild – Wort – Lexikon

Questions	Answers
What's this?	It's a ... .
Have you got a .... ?	Yes, I have got a ... .
	No, I haven't got a ... .
Is this your ... ?	Yes, it is.
	No, it isn't.

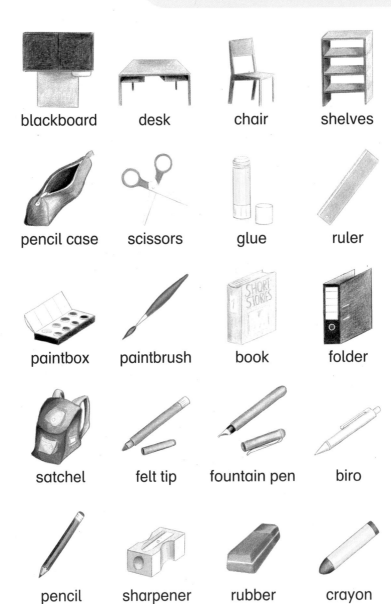

blackboard   desk   chair   shelves

pencil case   scissors   glue   ruler

paintbox   paintbrush   book   folder

satchel   felt tip   fountain pen   biro

pencil   sharpener   rubber   crayon

Questions

Do you like ... ?

Have you got a pet?

Answers

Yes, I like ... .
No, I don't like ... .
Yes, I have got a ... .
No, I haven't got a pet.

 monkey

 bear

 elephant

 duck

 frog

 giraffe

 fish

 cock

 hamster

 dog

 hedgehog

 rabbit

 cow

 lion

 mouse

 guinea pig

 pig

 horse

 sheep

 budgie

Questions

What would you like?

Can I help you?
How much is/are ... ?

Answers

I would like ... *pears*, please.
I'd like ... .
Two ... please.
It's ... £/$/€.
Here you are.

apple	pear	cherry	strawberry
pineapple	banana	kiwi	grapes
lemon	orange	plum	pumpkin
lettuce	peas	sweetcorn	onion
carrot	potato	green pepper	mushroom

Questions	Answers
Do you like ... ?	Yes, I like ... .
	No, I don't like ... .
What's your favourite food?	My favourite food is ... .
What's your favourite drink?	My favourite drink is ... .

honey

cheese

butter

bread

jam

boiled egg

fried egg

toast

lemonade

tea

mineral water

milk

cake

salad

chicken

sandwich

pizza

spaghetti

chips

sausages

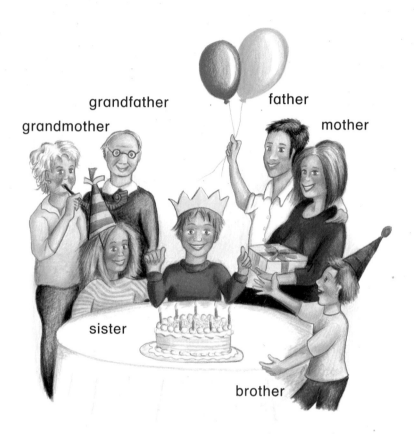

grandfather

grandmother

father

mother

sister

brother

Have you got a ... ?

Yes, I have.
No, I haven't.

How many ... have you got?

I have got ... *brothers*.

Questions

How are you?
What's your name?
Where do you come from?
How old are you?
What time is it?

Answers

I'm fine thanks.
My name is ... .
I come from ... .
I'm ... years old.
It's ... o'clock.

Body and clothes

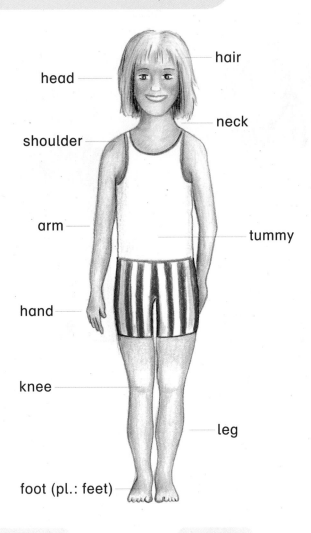

hair

head

neck

shoulder

arm

tummy

hand

knee

leg

foot (pl.: feet)

Questions	Answers
Show me your	This is my ... .
	These are my ... .

eye

nose

ear

mouth

teeth

back

socks

trousers

jeans

belt

dress

jacket

trainers

T-shirt

pullover

shirt

shoes

woolly hat

gloves

scarf

Questions	Answers
What would you like to play?	Let's play ... .
	Let's go ... .
	Let's ... .
What's your hobby?	It's ... .

cards

board game

marbles

hand puppet

doll`s house

train

car

computer

swimming

playing guitar

skating

cycling

listening to music

reading books

inline-skating

playing football

Colours, numbers, calendar

red   orange   yellow   green   blue   brown   white   black

Questions
Answers

What colour is it?   It's ... .

1 one   **2** two   **3** three   **4** four   **5** five   **6** six   **7** seven   **8** eight   **9** nine   **10** ten

11 eleven   **12** twelve   **13** thirteen   **15** fifteen   **30** thirty   **45** forty-five

Questions   Answers

How many ... have you got?   I've got ... *pencils*.

Monday	*Montag*
Tuesday	*Dienstag*
Wednesday	*Mittwoch*
Thursday	*Donnerstag*
Friday	*Freitag*
Saturday	*Samstag*
Sunday	*Sonntag*

Questions

When's your birthday?
When's Christmas/Easter?

Answers

My birthday is in ... .
Easter is in ... .

Questions

Where is the ... ?
Where are the ... ?

Answers

The ... is in the ... .
The ... are in the ... .

 garden

 chimney

 door

 window

 washbasin

 toilet

 washing machine

 shower

 shelves

 clock

 television/TV

 lamp

 armchair

sofa

 carpet

bed

 cooker

fridge

table

 wardrobe

Englisch

Englisch – Deutsch

Englisch–Deutsch

A

a, an	ein
about	etwa, über
Africa	Afrika
after	nach
afternoon	Nachmittag
again	wieder
airport	Flughafen
alarm clock	Wecker
all	alle, alles
also	auch, ebenfalls
always	immer
America	Amerika
American	amerikanisch
and	und
angel	Engel
animal	Tier
answer	Antwort
apple	Apfel
April	April
arm	Arm
to arrive	ankommen
Asia	Asien
to ask	fragen
at	an, bei
August	August
aunt	Tante
Australia	Australien
autumn	Herbst

B

baby	Baby
back	Rücken
back	zurück
bad	böse, schlecht
bag	Tasche
to bake	backen
baker	Bäcker
bakery	Bäckerei
ball	Ball
banana	Banane
to bathe	baden
bathroom	Badezimmer
to be	sein
beach	Strand
bean	Bohne
bear	Bär
beautiful	schön
because	weil
bed	Bett
bedroom	Schlafzimmer

to begin	anfangen	bread	Brot
behind	hinter	break	Pause
bell pepper	Paprika	breakfast	Frühstück
to belong	gehören	to breathe	atmen
belt	Gürtel	bridge	Brücke
to bend	beugen	broom	Besen
berry	Beere	brother	Bruder
better	besser	brown	braun
between	zwischen	brush	Bürste
big	groß	to build	bauen
bike	Fahrrad	bus	Bus
bird	Vogel	bus stop	Bushaltestelle
birthday	Geburtstag	but	aber
biscuit	Keks	butcher	Metzger
black	schwarz	butter	Butter
blackboard	Tafel	butterfly	Schmetterling
blouse	Bluse	button	Knopf
blue	blau	to buy	kaufen
boat	Boot	by	an, bei, von
body	Körper	bye	Tschüss
book	Buch		
boot (pl.: boots)	Stiefel		
bottle	Flasche	**C**	
bowl	Schüssel		
box	Kiste, Schachtel	cage	Käfig
		cake	Kuchen
		calendar	Kalender
boy	Junge	to call	anrufen

camel	*Kamel*	circle	*Kreis*
can	*können*	city	*Großstadt*
candle	*Kerze*	class	*Klasse*
cap	*Mütze*	clean	*sauber*
capital	*Hauptstadt*	to climb	*klettern*
car	*Auto*	clock	*Uhr*
carrot	*Möhre*	to close	*schließen*
castle	*Burg, Schloss*	closed	*geschlossen*
cat	*Katze*	clothes	*Kleidung*
to catch	*fangen*	cloud	*Wolke*
caterpillar	*Raupe*	cloudy	*wolkig*
cellar	*Keller*	coast	*Küste*
chair	*Stuhl*	coat	*Mantel*
chalk	*Kreide*	coffee	*Kaffee*
to change	*ändern*	cold	*kalt*
cheap	*billig*	to collect	*sammeln*
cheese	*Käse*	colour	*Farbe*
cherry	*Kirsche*	comb	*Kamm*
chicken	*Huhn*	to come	*kommen*
child	*Kind*	comfortable	*bequem*
(pl.: children)		computer	*Computer*
chimney	*Schornstein*	to cook	*kochen*
chips	*Pommes frites*	cooker	*Herd*
chocolate	*Schokolade*	corner	*Ecke*
Christmas	*Weihnachten*	cornflakes	*Cornflakes*
church	*Kirche*	country	*Land*
cinema	*Kino*	cow	*Kuh*

crazy	*verrückt*
crossroads	*Kreuzung*
cucumber	*Gurke*
cup	*Tasse*
to cut	*schneiden*
to cycle,	*Fahrrad*
to ride	*fahren*

D

dad, daddy	*Papa*
to dance	*tanzen*
dangerous	*gefährlich*
dark	*dunkel*
date	*Datum*
daughter	*Tochter*
day	*Tag*
dear	*lieb*
December	*Dezember*
deep	*tief*
desk	*Schreibtisch*
dice	*Würfel*
difficult	*schwierig*
dining room	*Esszimmer*
dinner	*Abendessen*
dirty	*dreckig*
to disappear	*verschwinden*

to do	*tun, machen*
doctor	*Arzt, Ärztin*
dog	*Hund*
doll	*Puppe*
door	*Tür*
double	*doppelt*
down	*hinunter*
downstairs	*unten (im Haus)*
to draw	*zeichnen*
dream	*Traum*
dress	*Kleid*
drink	*Getränk*
to drink	*trinken*
driver	*Fahrer*
drum	*Trommel*
dry	*trocken*
duck	*Ente*

E

ear	*Ohr*
early	*früh*
earth	*Erde*
Easter	*Ostern*
easy	*einfach, leicht*
to eat	*essen*
egg	*Ei*

eight	acht
eighteen	achtzehn
eighty	achtzig
eleven	elf
empty	leer
England	England
English	englisch
enough	genug
entrance	Eingang
evening	Abend
everybody	jeder, alle
example	Beispiel
exercise	Übung
exercise book	Schulheft
exit	Ausgang
expensive	teuer
eye	Auge

F

face	Gesicht
to fall	fallen
family	Familie
far	fern, weit
farm	Bauernhof
farmer	Bauer, Bäuerin
fast	schnell

father	Vater
favourite ...	Lieblings...
fear	Angst
feather	Feder
February	Februar
to feed	füttern
feeling	Gefühl
felt tip	Filzstift
fence	Zaun
field	Feld
fifteen	fünfzehn
fifty	fünfzig
to find	finden
fine	fein
finger	Finger
fire	Feuer
first	erste, erster
fish (pl.: fish)	Fisch
five	fünf
flag	Fahne
flat	Wohnung
flight	Flug
floor	Boden
flower	Blume
to fly	fliegen
fly	Fliege
fog	Nebel

foggy	*neblig*
folder	*Hefter*
to follow	*folgen*
food	*Essen*
foot (pl.: feet)	*Fuß*
football	*Fußball*
for	*für*
forest	*Wald*
to forget	*vergessen*
fork	*Gabel*
forty	*vierzig*
fountain pon	*Füllcr*
four	*vier*
fourteen	*vierzehn*
fox	*Fuchs*
Friday	*Freitag*
fridge	*Kühlschrank*
friend	*Freund*
friendly	*freundlich*
from	*von, aus*
frosty	*frostig*
fruit	*Früchte, Obst*
to fry	*braten*
fun	*Spaß*
funny	*lustig*

G

game	*Spiel*
garden	*Garten*
German	*deutsch*
Germany	*Deutschland*
to get	*bekommen*
to get up	*aufstehen*
ghost	*Gespenst*
girl	*Mädchen*
to give	*geben*
glass	*Trinkglas*
glasses	*Brille*
gloves	*Handschuhe*
glue	*Kleber*
to go	*gehen*
goal	*Tor*
goat	*Ziege*
good	*gut*
goodbye	*auf Wiedersehen*
to go shopping	*einkaufen*
grandfather	*Großvater*
grandma	*Oma*
grandmother	*Großmutter*
grandpa	*Opa*
grapefruit	*Pampelmuse*

grass	*Gras*	her	*ihr, sie*
great	*groß, großartig*	here	*hier*
green	*grün*	to hide	*verstecken*
grey	*grau*	high	*hoch*
guest	*Gast*	hill	*Hügel*
guitar	*Gitarre*	him	*ihm, ihn*
		his	*sein, seine*
H		hobby	*Hobby*
		holidays	*Ferien, Urlaub*
hair	*Haar, Haare*	homework	*Hausaufgaben*
half	*halb*	honey	*Honig*
hall	*Flur*	horse	*Pferd*
Halloween	*Halloween*	hospital	*Krankenhaus*
ham	*Schinken*	hot	*heiß*
hamster	*Hamster*	hour	*Stunde*
hand	*Hand*	house	*Haus*
to hang	*hängen*	how	*wie*
happy	*glücklich*	hundred	*hundert*
hat	*Hut*	hungry	*hungrig*
to have	*haben*		
he	*er*	**I**	
head	*Kopf*		
to hear	*hören*	I	*ich*
heart	*Herz*	ice cream	*Eiscreme*
hello	*hallo*	ill	*krank*
helmet	*Helm*	in	*in*
to help	*helfen*	in front of	*vor*

inside	*innen*
invitation	*Einladung*
Ireland	*Irland*
island	*Insel*
it	*es*

J

jacket	*Jacke*
jam	*Marmelade*
January	*Januar*
jeans	*Jeans*
job	*Arbeitsstelle*
joke	*Witz*
juice	*Saft*
July	*Juli*
to jump	*springen*
June	*Juni*

K

ketchup	*Ketchup*
king	*König*
to kiss	*küssen*
kitchen	*Küche*
kite	*Drachen*
knee	*Knie*

knife (pl.: knives)	*Messer*
to know	*wissen*

L

ladder	*Leiter*
lake	*See*
lamp	*Lampe*
late	*spät*
leaf (pl.: leaves)	*Blatt*
to learn	*lernen*
left	*links*
leg	*Bein*
lemon	*Zitrone*
to let	*lassen*
letter	*Brief*
letter box	*Briefkasten*
light	*Licht*
light blue	*hellblau*
to like	*mögen*
lion	*Löwe*
lip	*Lippe*
to listen	*zuhören*
little	*klein*
to live	*leben*
living room	*Wohnzimmer*
lolly	*Lutscher*

long	*lang*	mirror	*Spiegel*
loud	*laut*	moment	*Augenblick*
to love	*lieben*	Monday	*Montag*
lunch	*Mittagessen*	money	*Geld*
		monkey	*Affe*

M

man (pl.: men)	*Mann*	month	*Monat*
many	*viele*	moon	*Mond*
map	*Karte*	more	*mehr*
	(Landkarte)	morning	*Vormittag*
		mother	*Mutter*
March	*März*	motorbike	*Motorrad*
market	*Markt*	mountain	*Berg*
marmalade	*Marmelade*	mouse	*Maus*
to marry	*heiraten*	(pl.: mice)	
maths	*Mathematik*	mouth	*Mund*
may	*dürfen*	much	*viel*
May	*Mai*	mum	*Mama*
me	*mir, mich*	mushroom	*Pilz*
meadow	*Wiese*	music	*Musik*
meat	*Fleisch*	must	*müssen*
to meet	*treffen*	my	*mein, meine*
Merry	*Frohe*		
Christmas!	*Weihnachten*		
milk	*Milch*		
mineral water	*Mineralwasser*		
minute	*Minute*		

N

		name	*Name*
		near	*nah*
		neck	*Hals*

to need	*brauchen*
nest	*Nest*
never	*nie*
new	*neu*
next to	*neben*
nice	*nett, schön, gut*
night	*Nacht*
nine	*neun*
nineteen	*neunzehn*
ninety	*neunzig*
no	*nein*
north	*Norden*
nose	*Nase*
not	*nicht*
November	*November*
now	*jetzt*
number	*Zahl*
nut	*Nuss*

O

October	*Oktober*
okay, ÒK	*okay*
old	*alt*
on	*auf*
one	*eins*

one hundred	*einhundert*
onion	*Zwiebel*
only	*nur*
open	*offen*
opposite	*gegenüber*
orange	*Apfelsine*
orange juice	*Orangensaft*
our	*unser, unsere*
oven	*Backofen*

P

page	*Seite*
to paint	*malen*
paintbrush	*Pinsel*
palace	*Palast*
pan	*Pfanne*
parents	*Eltern*
park	*Park*
party	*Feier*
to pay	*bezahlen*
peach	*Pfirsich*
pear	*Birne*
pedestrian	*Fußgänger*
pen	*Stift*
pencil	*Bleistift*
pencil case	*Mäppchen*

people	*Leute*
pepper	*Pfeffer*
perhaps	*vielleicht*
pet	*Haustier*
piano	*Klavier*
picture	*Bild*
piece	*Stück*
pig	*Schwein*
pink	*pink*
pizza	*Pizza*
place	*Platz*
plane	*Flugzeug*
plate	*Teller*
to play	*spielen*
playground	*Spielplatz*
please	*bitte*
plum	*Pflaume*
police	*Polizei*
poor	*arm*
post office	*Post*
pot	*Topf*
potato	*Kartoffel*
present	*Geschenk*
to pull	*ziehen*
pullover	*Pullover*
pumpkin	*Kürbis*
pupil	*Schüler(in)*

purple	*lila*
to put	*setzen, stellen, legen*
to put on	*anziehen*
puzzle	*Puzzle*

Q

quarter	*Viertel*
queen	*Königin*
question	*Frage*

R

rabbit	*Kaninchen*
radio	*Radio*
rain	*Regen*
rainbow	*Regenbogen*
rainy	*regnerisch*
to read	*lesen*
red	*rot*
to repair	*reparieren*
to repeat	*wiederholen*
to ride	*reiten, fahren*
right	*rechts*
to ring	*klingeln*
river	*Fluss*

road	*Straße, Weg*	schoolbag	*Schultasche*
rock	*Felsen*	scissors	*Schere*
roll	*Brötchen*	Scotland	*Schottland*
roof	*Dach*	sea	*Meer*
room	*Zimmer*	season	*Jahreszeit*
rope	*Seil*	second	*Sekunde*
rose	*Rose*	secret	*geheim*
rubber	*Radiergummi*	to see	*sehen*
rubbish	*Abfall, Müll*	to sell	*verkaufen*
ruler	*Lineal*	to send	*schicken*
to run	*rennen*	September	*September*
		seven	*sieben*
		seventeen	*siebzehn*
S		seventy	*siebzig*
		to shake	*schütteln*
sad	*traurig*	sharpener	*Spitzer*
salad	*Salat*	she	*sie (Einzahl)*
salt	*Salz*	sheep	*Schaf*
sandals	*Sandalen*	(pl.: sheep)	
sandpit	*Sandkasten*	shelves	*Regal*
sandwich	*Sandwich*	to shine	*scheinen*
satchel	*Ranzen*	ship	*Schiff*
Saturday	*Samstag*	shirt	*Hemd*
sausage	*Wurst*	shoes	*Schuhe*
to say	*sagen*	shop	*Geschäft*
scarf	*Schal*	short	*kurz*
(pl.: scarves)		shoulder	*Schulter*
school	*Schule*		

to show	zeigen	son	Sohn
shower	Dusche, Schauer	song	Lied
		sorry	Entschuldigung!
to shut	schließen		
sick	krank	soup	Suppe
to sing	singen	sour	sauer
sister	Schwester	spaghetti	Spaghetti
to sit	sitzen	spider	Spinne
six	sechs	spoon	Löffel
sixteen	sechzehn	sport	Sport
sixty	sechzig	spring	Frühling
skateboard	Skateboard	stairs	Treppe
skin	Haut	stamp	Briefmarke
skirt	Rock	to stand	stehen
sky	Himmel	star	Stern
sledge	Schlitten	station	Bahnhof
slide	Rutsche	to stay	bleiben
slow	langsam	stockings	Strümpfe
small	klein	to stop	anhalten
snake	Schlange	storm	Sturm
snowball	Schneeball	story	Geschichte
snowboard	Snowboard	straight ahead	geradeaus
soap	Seife	strawberry	Erdbeere
socks	Socken	street	Straße
sofa	Sofa	stripe	Streifen
soft	weich	stupid	dumm
some	einige	sugar	Zucker

suitcase	*Koffer*	tennis	*Tennis*
summer	*Sommer*	thank you	*danke*
sun	*Sonne*	the	*der, die, das*
Sunday	*Sonntag*	there	*da, dort*
sunglasses	*Sonnenbrille*	they	*sie (Mehrzahl)*
sunny	*sonnig*	thin	*dünn*
supermarket	*Supermarkt*	to think	*denken*
sweatshirt	*Sweatshirt*	thirsty	*durstig*
sweet	*süß, Süßigkeit*	thirteen	*dreizehn*
to swim	*schwimmen*	thirty	*dreißig*
swing	*Schaukel*	this	*dies, dieses*
		three	*drei*

T

		through	*durch*
		Thursday	*Donnerstag*
table	*Tisch*	ticket	*Fahrkarte*
table tennis	*Tischtennis*	time	*Zeit*
to take	*nehmen*	timetable	*Stundenplan*
to take off	*ausziehen*	tired	*müde*
tall	*groß*	toast	*Toast*
to taste	*schmecken*	today	*heute*
taxi	*Taxi*	toe	*Zeh*
tea	*Tee*	toilet	*Toilette*
teacher	*Lehrer(in)*	tomato	*Tomate*
team	*Mannschaft*	tomorrow	*morgen*
television	*Fernseher*	tongue	*Zunge*
to tell	*erzählen*	too	*auch*
ten	*zehn*	tooth (pl.: teeth)	*Zahn*

torch	*Taschen-lampe*
towel	*Handtuch*
town	*kleine Stadt*
toy	*Spielzeug*
tractor	*Traktor*
traffic lights	*Ampel*
train	*Zug*
tram	*Straßenbahn*
to travel	*reisen*
tree	*Baum*
trip	*Ausflug*
trousers	*Hose*
T-shirt	*T-Shirt*
Tuesday	*Dienstag*
tummy	*Bauch*
tunnel	*Tunnel*
to turn	*drehen*
twelve	*zwölf*
twenty	*zwanzig*
two	*zwei*

U

umbrella	*Regenschirm*
uncle	*Onkel*
under	*unter*

underground	*U-Bahn*
underpants	*Unterhose*
to understand	*verstehen*
up	*hinauf*
upstairs	*oben (im Haus)*
us	*uns*
to use	*benutzen*

V

valley	*Tal*
vegetable	*Gemüse*
very	*sehr*
village	*Dorf*
to visit	*besichtigen*

W

to wait	*warten*
wall	*Wand*
to want	*wollen*
war	*Krieg*
wardrobe	*Schrank (für Kleider)*
warm	*warm*
to wash	*waschen*
to watch	*anschauen*

watch	*Armbanduhr*
(pl.: watches)	
to watch TV	*fernsehen*
water	*Wasser*
we	*wir*
weather	*Wetter*
Wednesday	*Mittwoch*
week	*Woche*
weekend	*Wochenende*
welcome	*willkommen*
well	*gut*
wet	*nass*
what	*was*
when	*wann*
where	*wo*
white	*weiß*
who	*wer*
why	*warum*
wild	*wild*
wind	*Wind*
window	*Fenster*
windy	*windig*
wing	*Flügel*
winner	*Sieger(in)*
winter	*Winter*
to wish	*wünschen*
with	*mit*

without	*ohne*
wizard	*Zauberer*
woman	*Frau*
(pl.: women)	
word	*Wort*
to work	*arbeiten*
world	*Welt*
to write	*schreiben*
wrong	*falsch*

Y

year	*Jahr*
yellow	*gelb*
yes	*ja*
yesterday	*gestern*
yoghurt	*Joghurt*
you	*du, dir; ihr, euch; Sie*
young	*jung*
your	*dein, deine; euer, eure; Ihr, Ihre*

Z

zebra	*Zebra*
zero	*Null*

Kleine Grammatik

Nomen (Namenwörter)

Nomen sind Namen für
- Gegenstände: Hut, Auto, Haus ...
- Personen: Lukas, Oma, Lehrer ...
- Tiere: Kuh, Hund, Katze ...
- Pflanzen: Gras, Rose, Birke ...
- Gefühle und Gedanken: Liebe, Glück ...

Fast alle Nomen besitzen einen
Artikel (der, die, das).   der Baum

Die meisten Nomen gibt es in der
Einzahl (Singular) und   ein Kind
in der *Mehrzahl (Plural).*   viele Kinder

Nomen werden am Wortanfang *großgeschrieben*.

Fast alle Nomen kann man mit der *Nomenprobe* finden.
Bei der Nomenprobe wird überprüft, ob es das Wort in
der Einzahl und der Mehrzahl gibt.

das Haus   die Rose   der Traum
viele Häuser   viele Rosen   viele Träume

Verben (Tunwörter)

Verben geben an,
was jemand tut oder
was geschieht.

spielen, lesen,
duften, schrumpfen

Verben *verändern* sich,
wenn sie in unterschiedlichen
Zeitformen stehen.

ich male
ich malte
ich habe gemalt

Verben *verändern* sich auch,
wenn ihnen unterschiedliche
Pronomen (Fürwörter) vorausgehen.

ich male
du malst
er malt
wir malen
ihr malt
sie malen

Verben werden in der *Grundform* angegeben.
Die Grundform erkennt man an der Endung -en.

Verben kann man mit der *Verbprobe* finden.
Bei der Verbprobe wird überprüft, ob sich das Wort in
die Vergangenheitsform setzen lässt.

ich spiele   sie läuft   er lacht
ich spielte   sie lief   er lachte

Adjektive (Wiewörter)

Adjektive geben an, wie etwas sein kann.

alt, dunkel, eng, flüssig, glatt, glücklich, groß, grün, heiß, kalt, leicht, neu, offen, rund, still, süß, wild ...

Die meisten Adjektive lassen sich *steigern*.

bunt   bunter   am buntesten

Adjektive können *zwischen* einem *Artikel* und einem *Nomen* stehen.

Artikel	Adjektiv	Nomen
das	große	Haus
die	schöne	Maus

Fast alle Adjektive kann man mit der *Adjektivprobe* finden.
Bei der Adjektivprobe wird überprüft, ob sich das Wort steigern lässt.

klein   kleiner   am kleinsten